# 通訳という
# おしごと

Surviving as a Professional Interpreter

関根マイク

# はじめに

私が通訳者として生きていくことを心に決めたとき、通訳の技術的要素を解説する書籍は市場にいくつかありましたが（それでも翻訳に比べると圧倒的に少なかったですが）、技術以外に通訳を仕事として成立させるために必要な要素は何か、そして駆け出しの通訳者はどのようなキャリアマップを描けばよいのか、という視点で書かれた書籍は皆無でした。日本ではそのような知識は先輩から学ぶか、お世話になっているエージェント（通訳者を派遣する会社）にすべて任せて、自分は技術を磨くことだけに集中すればよい、という考え方が長らく主流だったのです。

しかし通訳者としてキャリアを始めたばかりの私は、まず業界にコネはありませんし、学校に通うお金もありません。というか、誰かに頭を下げて学ばせてもらうということ自体が考えられないくらい、生意気だったのだと思います。「自分の道は自分で切り拓く」

なかった。

と表現すれば素敵な響きですが、要は頼れる人がいなかったので自分でなんとかするしかなかった。

おかげでかなり遠回りな通訳人生になりましたが、本書は、キャリアを積んで少しは（たぶん）賢い大人になった私が、あの頃の自分のように、「仕事としての通訳」について興味がある志望者や駆け出しのプロに贈る一冊です。

「仕事としての通訳」がテーマなので、業界の慣習や仕事の獲得など主にビジネス面にフォーカスし、技術面にはさほど触れません。

つまり**本書は通訳の技術書ではない**ので、技術について詳しく知りたい方はローデリック・ジョーンズ著『会議通訳』（松柏社）、小松達也著『通訳の技術』（研究社）、ベルジュロ伊藤宏美・鶴田知佳子・内藤稔著『よくわかる逐次通訳』（東京外国語大学出版会）あたりを読んでみてください。特にジョーンズの『会議通訳』は、私自身も原著をキャリア初期に読んで多くを学びました。

また、本書は、基本的に会議通訳者（英日・日英）の視点から執筆されていますが、英語以外の通訳者を目指す人にも役立つ部分が多く含まれています。

本書をどこから読み始めるかは読者の知識・経験レベル次第です。

第1章「通訳業界のしくみ」は業界の基礎知識なので、経験者は飛ばして構いません。
第2章「通訳者への道」はこれから通訳を学び、卒業後にエージェント登録をしてプロデビューを目指す方向け。
第3章「実況中継！　通訳の現場から」は、プロデビューを控えている新人向けに、準備の仕方やブースマナーを解説しています。
第4章「選ばれる通訳者になるために」では、少しだけ技術（主に通訳の危機管理）の話と、仕事ポートフォリオの組み方、他の通訳者との差別化などについて書いています。

すでにプロデビューしたけれど、キャリア的に伸び悩んでいる方を想定して書きました。

第5章「激変する環境をサバイブする」では、これからの通訳者がどう生き残っていくかについて、その戦略を私なりにまとめました。

日本では、通訳者になるには通訳学校に通うのが王道ルートですが、残念ながら国内の通訳学校は技術以外についてはあまり教えません（海外の養成機関ではフリーランスとしての営業や実績のPR方法など、ビジネス系の授業が教育課程に組み込まれているところもあります）。

しかし、通訳を生業とする以上、どのようにキャリアアップしていくか、どのように自分の価値を最大化するかを考えるのは当たり前のことです。自分の人生を他人に委ねるのは、運任せと何ら変わりはないのですから。

何十年と同じ仕事の仕方が続いていた通訳の世界も、テクノロジーの発展により、仕事環境が大きく変わりつつあります。しかし環境がどれだけ変わろうとも、感情がこもった人間的な通訳に対するニーズは存在し続けるでしょう。なぜなら人間は感動とつながりを求める生き物だからです。そのつながりは決して無機質な通訳技術のみで提供できるものではありません。

本書の究極的な目的は、通訳を「結び目をつくる仕事」として読者に意識してもらうことです。人と人がつながるとき、その結び目をつくるのは、果たしてあなたなのか。

あなたであってほしい、と私は思っていますよ。

二〇二〇年二月　関根マイク

通訳というおしごと

目次

## 第2章　通訳者への道

# 第3章 実況中継！ 通訳の現場から

## 第４章　選ばれる通訳者になるために

# 第5章 激変する環境をサバイブする

# 第1章
# 通訳業界のしくみ

# 1 通訳ってどんな仕事？

## ▼「通訳者」とは？

今や「グローバル化」「グローバリゼーション」という言葉を見聞きしない日は、一日たりともありません。

日本社会のグローバル化が進むにつれ、外国から観光客がどっと押し寄せてきますし、政府や企業も国際化を推進していますので、他国の政治家、ビジネスマンなども外交折衝や商談などのために頻繁に訪日します。そこで必要になってくるのが**「複数の言語でどのようにコミュニケーションを取るか」**ということです。

もちろん、政治家や官僚はもとより、企業の社員から観光地で働く人までが、外国人と直接対話できる人、あるいは日本語以外に相手の母語を操れるバイリンガルであれば、何の問題もありません。でもそんな人は少数派。どうしても二カ国語以上によるコミュニケーションの橋渡しをする人が必要となってきます。その**橋渡し役こそが「通訳者」**なのです。

現在、訪日外国人の数が年々右肩上がりで増加し、それに伴い**通訳者の必要性もどんどん増しています。**

通訳者が活躍するシーンといえば、大臣付きの国際会議（政治）や大企業の取締役会（ビジネス）などがすぐ思い浮かぶかもしれません。実際はそれ以外にも、外国人の工場視察（製造・工業）、特許侵害に関する民事訴訟（法務）など、さまざまな現場で通訳者が求められています。しかしその一方で、**通訳者の仕事内容や労働形態、仕事の受注発注の流れ、収入など細かい実態はほとんど知られていません。**

本章では、「通訳者って何をする人？」「どんな仕事をしているの？」という基本的な疑問に答えていきたいと思います。

最初に行いたいのは「通訳」の定義です。**通訳とは、シンプルにいうと「一つの言語から異なる言語へ、意味を口頭で変換する行為」**です。

「口頭で」というのは、書いた場合は翻訳として扱われるからです。ちなみにこの定義だと手話通訳が外れてしまいますが、本書は主に日本語と英語のあいだでの口頭通訳を想定していますので、あしからずご了承のほどを。

その前に、「『通訳』と『翻訳』ってどこが違うのか、よくわからない」、そう思っている読者もいることでしょう。その疑問、ごもっとも。多くの日本人は、「通訳」と「翻訳」という言葉の違いは認識しているけれど、実際に行うことや必要な能力はほぼ同じと考えていることでしょう。英語圏のビジネスマンだって、「通訳者」と「翻訳者」のどちらもtranslatorと一括りに同じものとして扱う人が多いのですから、日本人が戸惑うのも無理はありません（「通訳者」は正しくはinterpreter）。

ここでは誤解を避けるために、その違いを具体的に説明します。

## 「通訳」と「翻訳」の違い

「通訳（interpretation）」と「翻訳（translation）」の違いはいろいろありますが、主な違いとしては①即時性、②表現性、③一過性の三つです。

### ①即時性

翻訳は、あらかじめ指定された締め切りまでに原稿を仕上げればＯＫです。極端な話、締め切りにさえ間に合えば、その間は何をしても構いません。基本的には翻訳者のスケジュールやペースで作業を進められます。

しかし、通訳の場合はそんな悠長なことは言っていられません。通訳形態（同時通訳／逐次通訳）により若干異なりますが、基本的には話者が喋ったら、間髪を入れずそれを他言語に訳して話すという作業なので、あえて言えば「締め切りは数秒後」ということになります。

現場での主導権は話者が握っているので、**常に話者のペースで進んでいくのが通訳という仕事**です。必要以上に短く刻んで喋る人がいれば、いったん口を開けば通訳者の記憶力を試すかのようにたっぷりと喋る人もいます。また、話全体の筋が通っている人、流麗な口調で話をする人、その反対に脱線に次ぐ脱線で何が何だかさっぱり要点がわからない、たとえば重要な商談の途中に大好きな阪神タイガースの話を挟んでくる社長さんもいます（関西ではありがちらしいですが）。そんなクライアントすべてに対応しなければならないのが通訳者なのです。

いずれにせよ、通訳者は話者が口にした情報を即時に訳すことが求められます。この「即時」の程度は現場によって差があるとはいえ、時間のプレッシャーが重いことには変わりありません。たった三秒の沈黙でも、現場では永遠に感じられるものです。

### ②表現性

秒レベルの即時性が求められる通訳は、スピード勝負のＦ１レースに例えられます。そのため、**時間をかけて単語や文章の一つひとつを練りに練って訳す翻訳と比べて、その場で言葉を聞き、時間との闘いの中で思考し、訳出していかなくてはならない通訳の表現力にはおのずと限界があります。**

短い時間で聞き手のハートをがっちりわしづかみにできるような詩的表現を連発するのはまずもってムリ。そんなことは通訳者なら誰でも重々承知していることなのですが、仕事を終えたあとに「もっと時間があれば、よりよい表現ができたのに……」と悔しい思いで反省することはしばしばです。

とはいえ、表現という点では通訳が翻訳よりも有利なところもあります。

翻訳は、原文にせよ訳文にせよ書かれている言葉がすべてであり、その場の雰囲気や登場人物のムード、感情など、文章で表現されていない場合は読者の想像力に委ねられます。

一方、**通訳には「声」という武器がある**ので、同じ言葉でも声のトーンを変えたり、発言の重要な部分の前後に少し間をおいたりして表現することで、訳の効果を上げることができます。

加えて、通訳者は物理的にその場にいるので、「言葉で表現されていない情報」、いわゆる**非言語情報（表情、身振り、意識など）を必要に応じてうまく拾って訳に活かすこともできます。**

たとえば外国人話者が「ほんの少しだけでいいのです」と発言しているのに、両腕を大きく広げていたら、発言とジェスチャーの意味が正反対なので、それはおそらく冗談でしょう。通訳者もしっかり笑いを取りにいくチャンスですし、日本人側が真面目に解釈しないように補足する必要もあるかもしれません。

時間的制限はありますが、話している人の言葉の表面だけでは表せない感情や雰囲気なども聞き手に伝えられるのは、通訳ならではのポイントです。

## ③一過性

通訳、翻訳に「誤訳」は付きものです。ある言葉を文化や歴史がまったく違う別の言葉に変換するのですから、間違いや理解不足などは当然生じます。

翻訳は「訳文」という「モノ」が書籍やデータという「記録」として作られるので、ミスが多い低品質な訳文といった負の遺産が、いつまでも後世に残ってしまいます。

一方、通訳の場合は、録音・録画がされていない限り、通訳者が発した言葉はその場だけのもので、後に残ることはありません。

とはいえ、会議で一度合意された内容を破棄するために、会議の音声・撮影記録がないことをいいことに、通訳者がしていない誤訳をあげつらう、というケースも稀にですがあります。特に国益や、多額のお金が動くようなハイレベルな舞台では、通訳者個人の責任にして組織を守る、という現実もあるのです。

ただ、「一過性」ということでは、話者の言葉も一度きり。その場限りで二度と繰り返されないので、通訳者は常に集中して聞き、メモを取らなければなりません。駆け出しの通訳者はメモ取りに集中しすぎるあまりリスニングが疎かになり、いざ訳す段階になってメモの意味がわからない、ということもあったりするわけですが……。

以上、「通訳」と「翻訳」は似て非なるもの、それぞれ異なる技術を必要としていることをご理解いただけたでしょうか。

翻訳ができるから通訳もできるだろうというのは、とても安易な考えです。通訳と翻訳には共通する要素があるので、両方やる人もいますが、単に「やる」のと「高いレベルでやる」のは別物。両方とも高いレベルで技術を維持している人は、一般的に考えられるほど多くはありません。だからこそ、それができる人の希少価値が高いのです。

# 2 通訳を分類してみると

## ▼「通訳」という仕事の種類

一口に「通訳」といっても、その形態にはさまざまな種類が存在します。ここでは、四つの形態を解説します。

### ①同時通訳

一般の人が「通訳」と聞いてまず思い浮かべるのは「同時通訳」ではないでしょうか。たとえば、国際会議で、各国代表が専用のイヤホンを通して演説を聞いている映像などをよく目にしますよね。また、生中継で外国人が話している映像に、日本語訳がライブでかぶさって流れていくシーンも見ることがあります。同時通訳は、業界では「同通（どうつう）」と呼ばれます。

**同時通訳は、株主総会や学会、大規模な国際会議のように、大人数で長時間にわたる会議など、即時性と利便性が優先される場合に採用される通訳形態**です。通訳者は話者の声を聞きながら約一秒〜二秒遅れで訳出し、聞き手は受信機を通して通訳を聞きます。通訳者は文字通り「聞きながら訳す（話す）」のですが、とても高い集中力を要するため、二名以上のチームを組んで十五分〜二〇分ごとに交替するパターンが多いです。

同時通訳をするにあたって、通訳者には専用機材が用意されます。専用機材というのは、同時通訳向けに設計された発信・受信機器が付いているブースのこと。このブースにも種類があり、防音機能付きで広々としたものもあれば、コスト重視の低スペック版もあります。

私が経験した例では、ブースは基本的に通訳者二人（または三人）が入るに十分なスペースがあるのですが、アジア某国の会議ではなぜかラーメン屋の「一蘭」のように一人用ブースが何台も横一列に並べられていたことも。隣とは透明なパーテーションで区切られていたのですが、これでは通訳者間のコミュニケーションが難しくなります。
また、現場によってはブースを置くスペースすら確保できていない、またはコスト節約を重視するあまりブースが手配されず、通訳者が簡易通訳機器を手に持って同時通訳を行うというケースもあります。

通訳者は通常、マイクが拾った話者の声を、ブースの中でヘッドホンを通して聞いて訳していきます。ブース内で行う同時通訳（ブース同通）の場合は、場内の雑音が入りにくいため、話者の声に集中して聞き取ることができ、訳の精度アップが期待できます。

通訳者二人が入ったブースの様子

しかし同通のためのブースがなかったり、ヘッドホンなどの機材が用意されていなかったりすると、通訳者は話者の声を自分の耳で直に聞き取らなければなりません（これを業界用語で「生耳（なまみみ）」と呼びます。生耳による同通は「生耳同通」）。

その場合、ヘッドホンで聞くよりもしっかり聞き取れないことがあるので、どうしても正確性がある程度犠牲になることは否めません。ブース同通よりもはるかに集中力と体力を使うので、通訳者のほとんどは生耳同通を嫌います。


このようなわけで、同時通訳ではブースがあったほうがよいのですが、ではブースがあるから完璧な同時通訳ができるかというと、そんなことはありません。

ベテラン通訳者の袖川裕美さんも『同時通訳はやめられない』（平凡社）で書いていますが、**同時通訳者はどんなにうまくても起点言語（話者の言語）の七割くらいしか訳せない**、というのが現実です。

ただ、訳せない三割は判断して情報価値が小さい、つまり省略してもコミュニケーションに大きな影響はないと通訳者が判断して、意図的に省略しているものが多いので、その意味では**「訳せない」ではなく「訳さない」三割と表現したほうが正しいかもしれません。**

また、ブース通訳のデメリットはコスト。専用機材と複数の通訳者を手配するのはそれなりの費用が必要になります。

ちなみに三カ国語以上が使用される案件では、「リレー通訳」と呼ばれる同通もあります。たとえば日本語、韓国語、英語の通訳が必要で、日本語をキー言語とする場合、話者が韓国語で話すのであれば、まず日本語に訳し、次に日本語から英語へとリレー方式で訳します。話者が英語で話す場合は、英語→日本語→韓国語の順で訳出。日本語の場合は、韓国語、英語へとそれぞれ同時に訳します（リレーなし）。

**②逐次通訳**

業界では「逐次（ちくじ）」と呼ばれます。**話者がある程度話したあとにいったん区切って通訳者が訳出、通訳が終わったらまた話者が話して再び通訳者が訳出、これを何度も繰り返す形態**です。

話者の発言中、通訳者は特殊な技術を用いてノートテイキング（メモ取り）を行い、発言が終わると、ノートを見ながら訳出します。四時間以内の案件であれば通訳者は一人、それを超える場合は二名以上の体制になるのが普通です。

**逐次通訳が行われるのは、少人数で時間に余裕があり、内容を正確に理解することが優先される場合**で、表敬訪問、記者会見、工場視察、法務全般で主に採用されています。「外国人記者クラブ　通訳」で動画検索してみてください。サンプルが山ほど見つかりますよ。

**逐次通訳のメリットは、クライアントが大幅にコストを削減できること**です。専用機材は必要ないですし、通訳者の人数も少ない。同時通訳では会議中にわかりにくい部分を確認することができませんが、逐次通訳ではそれができるので通訳者のメリットも大きいといえます。また、私が通訳したある会議では、通訳対象者が一人（重要な幹部）、残りの参加者五人は全員が完全なバイリンガルという、通訳者にとっては生き地獄のようなケースもありました（笑）。クライアント側としては、訳をしっかりチェックできるというメリットがあるかもしれません……。

**デメリットはなんといっても時間。**話者と通訳者が交互に話すため、同時通訳のおよそ二倍の時間を要します。

**駆け出しの通訳者は逐次通訳から始めて、力が付いてきたら同時通訳へ、という流れが一般的**です。

### ③ウィスパリング

業界では「ウィスパー」と呼びます。「ウィスパー（whisper）」とは「囁く」ということ。通訳の「ウィスパー」では、通訳者は話者の言葉を生耳で聞き、通訳を必要とする人のそばで、小声で囁くように訳します。ですから**専用機材のない、聞き手一人あるいは二人のためだけの同時通訳と考えていいでしょう。**

ウィスパーは形態の性質上、採用されるのは短時間の会議で、聞き手は一人か多くても二人程度、通訳の方向は一方向に限定（たとえば日本語から英語のみで、その逆は通訳しない）されることがほとんどです。聞き手との距離が近いので、かつての私のように、ウィスパー案件の前に決してニンニク山盛りのラーメンを食べないように！

### ④サイト・トランスレーション

業界では「サイトラ」と呼びます。**原稿を「見ながら（sight）」即座に「訳して（translation）」いく形態**です。translationなので翻訳なのかと思いきや、高い即時性を求められるので、実務的にはほぼ通訳だと考えてよいです。

インハウス（社内通訳者）であれば、上司に英語がびっしり書かれた紙をいきなり渡されて、「これ、なんて書いてあるか教えて」とお願いされた経験が必ずあるでしょう。フリーランスも例外ではありません。たとえば査察案件では、査察担当者が最後に調査の結果を文書にまとめて関係者に説明するのが通例なのですが、この際に査察担当者が書いた文章をほぼ初見でサイトラするのはよくあることです。

「聞きながら訳す」同時通訳とは異なり、サイトラは「見ながら訳す」ので、感覚がつかみにくいせいか、これを苦手とする通訳者もいます。

## 通訳者が必要とされる現場あれこれ

通訳者は、日本人と外国人、または異なる国の外国人同士が集まりコミュニケーションを交わす場であれば、屋内、屋外を問わず、どのような分野、領域であろうとも出没します。必要とされる多言語交流の現場は多岐にわたる上に、いくつもの分野をまたがっていることもありますが、ここでは代表的な領域を紹介します。

### 【ビジネス／ＩＲ】

日本酒や寿司、ラーメンから南部鉄瓶のような地場製品まで、わが国特有の商品がパリやニューヨークなど世界のあちこちで売られるようになった現代、日本企業が新たなビジネス、消費者を求めて海外に展開することが、当たり前の話になりました。

そうなると設計、研究開発、製造、財務、マーケティングなど、さまざまな社内会議から取締役会や株主総会、ＩＲ（investor relations、投資家向け広報）関連の会議、新商品発表の記者会見や展示会、業界団体のイベントなど、企業のあらゆる活動に外国人がかかわってきます。そこに通訳のニーズが生じます。

近年では、東京証券取引所が企業の多様性とコーポレートガバナンス（企業統治）の強化を図るために、外国人取締役の起用を促していることもあり、ビジネスの現場でますます通訳のニーズは増えていくでしょう。

**【製造・工業】**

販売ルートだけでなく、製造拠点も海外に設けるのが今やごく一般的になっています。自動車、カメラ、半導体、センサー、繊維、鉄鋼、工作機械、ロボットなど、その例は枚挙にいとまがありません。そうなると、製造業のグローバル展開も通訳者が陰で支えているといっても過言ではないでしょう。特に技術が好きな通訳者であれば、その最前線で開発・製造に貢献できる機会は、とても魅力的に映るのではないでしょうか。

二〇年前くらいまでは、通訳の対象となる「モノ」に関する知識があれば十分でしたが、近年ではものづくり産業全体でＩｏＴ（Internet of Things、モノのインターネット）の活用など技術革新が進んでいます。そのため通訳者にも、ソフトウェアやデータ処理・保護などＩＴ関連の知識が求められるようになってきています。

**【法務】**

私は企業の法務関係の通訳を主戦場としています。ビジネスの世界では、この法務関連の業務に通訳の出番が結構多く、内容も幅広いものがあります。

法務関係の通訳には、たとえば弁護士が参加するＭ＆Ａ交渉、それに必要なデュー・ディリジェンス（due diligence、企業資産や価値の査定、調査）などの業務があります。また特許侵害、米国反トラスト法違反、製造物責任法違反に関する案件や、仲裁案件など、民事訴訟にかかわることもよくあります。

さらにグローバルに展開している企業であれば、法務部やコンプライアンス委員会に外国人メンバーが入ることが多いので、必然的に通訳のニーズが生まれます。今話題になっている「ＧＤＰＲ（General Data Protection Regulation、ＥＵ一般データ保護規則）」など、個人データ保護や知的財産関係の仕事も今後確実に増えていくでしょう。

民事訴訟案件に加えて刑事訴訟の法廷通訳をすることもよくあります。

なお、警察、検察、裁判所での通訳も「法務」に入りますが、本書ではそれらは「コミュニティ通訳」として、後ほど解説します。

**【政治】**

政治にかかわる通訳というと、各国首脳が華々しく集うサミットやＧ７級の国際会議を思い浮かべるかもしれません。しかし、あまり知られてはいませんが、通訳を必要とする作業部会レベルの会議は日常的に行われています。また、外国の専門家を招いた政治家向けの勉強会や（たとえば海外におけるデータ活用・保護の先進事例）、外国要人の表敬訪問も数多くあります。

政府関連であるため、今後とも通訳の依頼が激減することはなく、安定したジャンルの仕事といえるでしょう。そのため一部のエージェント（通訳者を派遣する会社）では、通訳者登録の際に政治系の実績を重視するところもあります。

ただし、政府系の通訳案件は入札によって決まるため、近年は価格競争が苛烈になっています。エージェントが低価格で受注せざるを得ないため、通訳者の報酬に割ける金額がどうしても少なくなります。その結果、経験が浅い低レートの通訳者しか手配できなかった例もあると聞きます。通訳者として政府系の仕事を増やしたければ、入札に強い大手エージェントに登録し、比較的低めのレート（報酬水準）を覚悟するべきです。

ちなみに内閣官房長官が平日の午前と午後の二回行う定例記者会見には、英語の同時通訳が入り、その動画は一般公開されています。

**【医療】**

ひとくくりに医療といっても、製薬、医療機器、学術研究などいろいろありますが、通訳者の出番としては、ＦＤＡ（Food and Drug Administration、米国食品医薬品局）による査察業務支援や、外国の医療機器メーカーによる研修やヒアリング、そして学会などがあります。学会は通常、土日を中心に開催されるので、売れっ子の医療通訳者の中には週末しっかり働いて、平日をゆっくり過ごす人もいます。

医療通訳は難易度が高いので慢性的に人手不足。一人前になるまでは時間がかかるけれど、必要な知識と技術を身に付ければ仕事に困ることはほぼないでしょう。

## 【放送】

日本では一九八〇年代半ばまで、海外ニュースをリアルタイムで視聴する環境が整備されていませんでした。それが一九九一年の湾岸戦争をきっかけに、海外の情報をいち早く入手したいという視聴者のニーズが高まり、各放送局が同時通訳者を採用するようになって、「放送通訳」という分野が確立されました。

バブルの時代は、衛星チャンネルで視聴できるＣＮＮだけでなく、ＮＨＫ-ＢＳや民放各局、ＣＡＴＶなどでも放送通訳が設けられていましたが、近年はその数が減少し、報酬レベルも低下傾向にあるようです。

放送通訳の特徴は、①日本語にしか訳さない（英語放送の場合は、英語から日本語の方向だけ）、②放送禁止用語がある、③声質やアクセント（「橋」「端」「箸」の区別など）にも注意しなければならない、の三点です。

**【金融】**

金融は、実は通訳業界においてホットな分野の一つです。近年、フィンテック（FinTech、ファイナンス・テクノロジー、金融工学）やキャッシュレスまわりが盛り上がっており、関連の案件も増加傾向にあるようです。数字に強い通訳者は確かにいますが、金融を専門分野といえるほど高度な知識がある通訳者はまだあまりいないので、その意味ではこれから大きなチャンスがある分野だといえるでしょう。

また、取締役会レベルの仕事を受けるようになると、当然ながら財務・金融といった企業経営にかかわるトピックにも対応しなければなりません。その他にも投資関係のアナリスト会議、会計・財務の社内研修（ＩＦＲＳ［国際財務報告基準］など）、金融商品セミナーなどを守備範囲に含める必要があります。

**【情報技術（ＩＴ）】**

私たちはデータの時代に生きていると言っても過言ではないのですが、必要なデータをどう抽出して活用するか、そして膨大な量のビッグデータを支えるインフラをどう整備・発展させていくかについて、世界各所で毎日のように通訳者を交えた議論が行われています。しかし、「ソフトウェアは得意だが、ハードウェア関係は敬遠したい」など、通訳者が十全に対応できているとは言えない状況です。

実際の案件数も多いのですが、そのレートは下降気味。しかし、金融分野で触れた「フィンテック」も含め、今やＩＴを活用しなければどの業界も生き残れないのは確実なので、仕事が減ることはないでしょう。

**【スポーツ・エンターテインメント】**

サッカーやラグビーのワールドカップやオリンピックなどの大きなスポーツイベントには、外国人選手はもとより世界各地のメディアも多数参加するので、記者会見などに通訳者が必要になります。また、新作映画のプロモーションや映画祭、東京ゲームショウのような大規模イベントでも通訳ニーズがあります。

この分野の特徴は、他の分野と比較して概ね報酬が低めであること、そして他の分野以上に「雰囲気を作る」訳が求められることが挙げられます。

三〇年以上前になりますが、阪神タイガースの外国人選手がヒーローインタビューを受けたのはよいが、真面目で退屈な回答ばかりしていたので、しびれを切らした（？）通訳者が「明日もデカいの打つで！　応援おおきに！」みたいな訳を勝手に出してスタンドを大いに沸かせたとか。ファンの心をがっちりつかんだという意味では大成功と言えるかもしれません。通訳者の訳を通して、ファンが選手や作品をもっと好きになるようにできたら最高です。

ちなみに、プロ野球やJリーグのチームのように、外国人選手と契約しているプロスポーツチームでは、オフシーズンにたびたび専属通訳者を募集しています。

## 【コミュニティ通訳】

「コミュニティ通訳」の定義付けは難しいのですが、大まかに説明すると、その国の言語（日本では日本語）を話せない外国人に対して、日常生活で必要な場面において提供される通訳のことです。

具体的には市役所などの行政窓口相談、病院での問診、警察や検察、裁判所での手続き、学校の説明会などがあります。しかし、国内のコミュニティ通訳は、主に報酬や認知度の低さから、ボランティアや家族に支えられているのが現状です。通訳を生業として考えるのであれば、現時点では残念ながら選択肢から外さなければならないでしょう。

## 通訳者は黒子なのか？

通訳者はよく「影の存在」や「黒子」などと言われます。その場にいて、コミュニケーションに不可欠な役割を果たすけれど、存在感がないのが一番だということでしょうか。最近はこのあたりの解釈が変わってきている部分があります。たとえば話者が明らかに声を荒げて怒っているのに、通訳者が落ち着いた声で淡々と訳すというのは、はたして正しい訳といえるのかどうか。

クライアントによっては、通訳者にもっと存在感を出してほしい、私が怒っているんだから一緒に怒ってほしい、などと期待する状況もあるでしょう。かつてサッカー日本代表監督を務めたジーコさん専属の通訳者、鈴木國弘さんは試合で監督以上に審判に激怒して退場処分になり、世間の注目を集めました（本人いわく、監督に退場されてはチームが困るので身代わりになったらしい）。これくらいの情熱を求めるクライアントは確かに存在します。

個人的には、これは程度の問題だと考えています。つまり、**通訳者は黒子というよりも、サッカーの審判のような存在なのではないか**と。確かに、観客の目には審判が映っていますが、審判が上手くさばいた試合では、観客が審判を意識することはありません。特に目立った外見や言動がない限り、サッカー・ワールドカップの決勝を担当した主審が誰かなんて覚えていませんよね。

しかし、ピッチ上で危険なプレーなど問題が発生した場合、審判は試合を見守る全当事者の中心で、注目を一身に集めながら問題を整理しなければなりません。

黒子には問題の解決は求められません。ですから常々私は、サッカーの審判のほうが通訳者に近いのではないかと思っています。

# 3　社員もいればフリーランスもいる

## 会社勤めから個人事業主まで、通訳者の働き方あれこれ

ここまでのお話で、通訳者がどのような仕事をしているのか大まかにご理解いただけたと思います。ここでは、その通訳者がどのような勤務形態で働いているのかを紹介します。通訳者の働き方は、大きく分けて「インハウス」「エージェントの専属通訳者」「フリーランス」の三つ。それぞれ見ていきましょう。

**【インハウス】**

外国人の取締役がいるなど、**日常的に通訳者を必要とする企業は、社内に通訳者を常駐させているケースが多い**ようです。

業界で「インハウス」と一般的に呼ばれる「社内通訳者」のほうが、企業の立場から見ると、毎回外部の通訳者に依頼するより低コストで済みますし、急な出張や残業などにも柔軟に対応してもらえるなどのメリットがあります。

また、インハウスは、外部の通訳者に比べ、その会社の業務についてより深く理解していますし、社員との関係も築きやすいので、正確で質の高い訳出ができます。

このインハウスの多くは正社員……と言いたいところなのですが、通訳技術は属人的で、組織に知識やノウハウが蓄積されないため（通訳者が会社を去ると、組織の「通訳力」が完全に失われる）、基本的には契約社員、または業務委託契約を結ぶケースが多いです。

契約社員の場合、基本的には労使折半による各種保険と厚生年金に加入できます。業務委託の場合はそのような福利厚生はないですが、その代わり他社の案件も自由に受けられると考えてください。

求人情報を見るとたまに年俸一〇〇〇万円の募集もあるようですが、これは本当にごく稀なケースで、あまり現実的とは言えません。**経験が浅い通訳者の場合、四〇〇万円～五〇〇万円あたりのオファーが大半**であると覚悟したほうがよいです。インハウスの場合、通訳業務に加えて翻訳業務も発生することが大半で、場合によっては翻訳が八割などという会社も少なくないので、入社前に要確認です。

**【エージェントの専属通訳者】**

エージェント傘下の通訳学校に通うと、技術と将来性を見込まれて、そのエージェントから専属契約を持ちかけられることがあります。

しくみはエージェントにより異なりますが、月二〇万円～三〇万円程度の基本給に稼働給をプラスする会社もあれば、基本給ではなく、最低年俸保証を設定する会社もあります。後者は一年を通してこれだけの収入分の仕事量は保証します、という制度です。

子どもの教育費や住宅ローンを抱えている通訳者にとっては、自然災害や経済危機があっても一定の保証が得られるので、完全なフリーランスになるよりは安心感があるでしょう。もちろん、まずはエージェントに技術を認められなければなりませんが！

**専属契約を結ぶ通訳者側のメリットは、一年目から仕事を与えられること。**ベテランの通訳者と組んで、格の高い国際会議などを担当するチャンスもめぐってくるかもしれません。仕事の保証がありながら多分野の仕事を経験できるのは、非常に貴重な機会です。

**エージェント側のメリットとしては、一定の実力がある人材を安価で確保できること**が挙げられます（一部の高レートのベテランを除く）。特に大手エージェントは案件数が多いので、専属通訳者を一定数抱えていたほうが、繁忙期の通訳者確保が容易になり、かつ利益率も上がる、というメリットがあります。

**【フリーランス】**

**フリーランスの最大のメリットは、収入面のポテンシャル**です。一年目から一〇〇〇万円稼いだ通訳者もいますし、通訳者の供給が少ない専門分野で、直接取引できるクライアントを持っている場合は、二〇〇〇万円を超える年収も夢ではありません。

ただし、よいことばかりではありません。毎日のように異なる現場で活動するので、インハウスよりも環境的にプレッシャーがかかりますし、エージェントの専属通訳者のようにいざとなったら助けてくれる先輩もいません。むしろ現場では「自分の担当分は何があっても自分で責任をとれ」という空気さえあります。

また、通訳技術に加えて、厳しい自己評価と一定のビジネスセンスも求められます。自分のスケジュールは自分で管理しなければなりませんし、安定的な収入確保のためには営業活動も必要です。誰もキャリアマップを描いてくれないので、三年後、五年後にどのような分野で活動したいのかは自分で決めなければなりません。レート交渉、見積書や請求書の発行などの事務作業も自分でしなければならず、面倒だと感じる人もいます。

## ▼通訳者に必要な資格は？

ここまで通訳の仕事の内容や働き方について説明しました。ところで、通訳者になるには何か資格がいるのでしょうか。

実は通訳の国家資格は、現時点（二〇二〇年二月現在）では存在しません。民間資格は複数存在しますが、これは仕事を保証するものではありませんし、参入障壁としても機能していません。ですから、「今日から私はプロの通訳者になる！」と宣言すれば（しなくてもよいですが）、誰でもその日から仕事を受けることができます。

といっても、経験ゼロの通訳者が自分でクライアントを探すのはとてもハードルが高いですし、参入障壁がないということはプレイヤーが多数参入しているということなので、競争も熾烈です。私のように「なんとかなるだろう」と勘違いして飛び込むと、少なくとも数年は非常に苦労するでしょう。

なお、通訳ガイド（全国通訳案内士）には国家資格が存在します。名称で誤解されることが多いのですが、通訳ガイド試験には「通訳」実技の試験はありません。

平成三〇年から「通訳案内の実務」が試験項目として追加されましたが、これは主に案内業務に特化した外国語スキルを評価するものであり、純粋な通訳技術を評価するには不十分といえるでしょう。「通訳ガイドに会議通訳はできない」と主張するつもりはありませんが（できる人もいるでしょう）、「通訳ガイド試験に合格したから会議通訳も当然できる」と考えるのはあまりにも短絡的です。

# 4 フリーランスの仕事の受け方、探し方

## ▼仕事獲得のルートと流れ

インハウスとエージェントの専属通訳者は、放っておいても会社から仕事を依頼、あるいは押し付けられます。では、フリーランスは自分で直接仕事を探さなくてはならないかというと、必ずしもそうではありません。

**あらかじめエージェントに登録しておき、そこから来た仕事を受けるというのが、国内で活躍しているフリーランスで最も多いタイプです。**

フリーランスはクライアント探しだけではなく、スケジュールを管理し、見積書・請求書の発行などの事務作業を行わなければなりませんが、この事務作業が苦手という人も結

構います。そういう人は、現場での通訳以外の業務はすべてエージェントに任せるという方法を取ります。

ここでは、エージェント経由の案件を想定して、仕事の受注・発注の流れを図解で紹介します。

---

**クライアント**

発注

**エージェント**

・案件の内容や予算、資料の有無などをクライアントに確認。

・コーディネーターが案件の内容、予算、クライアントの要求レベル、通訳者の能力やスケジュールを考慮し、まずは適任の通訳者を「仮予約」。クライアントと合意が得られたら「確定」として通訳者に発注。

---

発注

通訳者

・エージェントから送付される資料を当日までに読み込み、用語集などを作成する。
・複数の通訳者が手配されている案件であれば、事前に作業分担をして業務を効率化することもある（エージェントが通訳者の順番や分担を決めることもある）。
・案件が終了したらエージェントに報告。

キャリアを重ねていくと、どこかで企業と直接取引ができる機会が生まれてきます。この点については本書後半で詳述します。

## 従来のしくみを変える新しいトレンド

つい最近まで、通訳者の仕事は「本人が現場に行き、関係者と同じ物理空間を共有して仕事をする」のが当たり前でした。しかし、テクノロジーの進化と企業の経費削減の影響を受け、近年では新しいしくみが誕生しています。

その中から、これから大きなトレンドとなりそうな「オンラインマッチング」と「遠隔同時通訳（ＲＳＩ：Remote Simultaneous Interpreting）」を紹介します。

**【オンラインマッチング】**

通訳の仕事には、クライアントと通訳者の間にエージェントのコーディネーターがいる場合が多いです。

クライアントから依頼を受け、希望に沿った通訳者を選定し、資料を集めて通訳者に渡し、案件終了後は通訳者のフィードバックに対応しつつ請求作業を進めるというのが、コーディネーターの基本的な業務です。

このコーディネーターの仕事を、アルゴリズムで代替しようという「オンラインマッチング」が海外発の試みとして出てきました。

①アルゴリズムで条件を満たした通訳者を選定してオファーを送り、②クライアントには専用サーバーに資料をアップロードするように促し、③クライアントへの請求と通訳者への支払いもシステム上で自動的に行います。

**クライアントにとってのオンラインマッチングのメリットは、クライアントと通訳者のコーディネートに人間を介在させないため、コストの削減と手続きの簡略化が図れる**ということです。「オンデマンドでいつでも手軽に通訳者を手配できる」という謳い文句のもと、現在は主に電話通訳（客先には行かず、自宅からコールして通訳する）の分野で普及が進んでいます。

しかし**通訳者にとっては、見逃せないデメリットがあります。**

たとえば、資料を専用サーバーにアップロードするようにクライアントに促しても、それが必ずしも実施されるかどうかは分かりません。人間のコーディネーターが介在していたら、クライアント側の担当者に直接メールや電話で催促してくれるのですが、自動化を軸にするオンラインマッチングではそこまで細かいケアはできません。そのため、資料なしでの仕事を強いられた経験を持つ通訳者も少なくありません。資料が提供されなければ、通訳者は本来のパフォーマンスが発揮できなくなってしまいます。そしてそれは、結果的にはクライアントにも損害を及ぼすことになるでしょう。

もう一つのデメリットは報酬体系です。オンラインマッチングは通訳者を雇う企業側に寄ったサービスを構築しているため、通訳者に支払う報酬も国内の慣習である終日（一時間の昼食休憩を含む八時間拘束）／半日（午前か午後の四時間拘束）ではなく、時給計算で支払われるのが一般的です。極端なところでは、分単位の計算で支払う業者が実際に存在します。

このような報酬体系だと、通訳者は生計を立てるために複数の小さな案件を毎日こなさなければならなくなり、資料の読み込みなどの事前準備も疎かになるでしょう。心理的にも大きなストレスになります。

オンラインマッチングに価値があるのは間違いないので、今後も普及していくと思われます。しかし、まだまだ技術的に未熟な通訳者を中心にサービスを展開しているのが現状です。トッププロにも仕事を受けてもらえるよう訴求するためには、通訳者の視点もサービスに反映していくことが今後の大きな課題でしょう。

**【遠隔同時通訳（ＲＳＩ）】**

これまで、同時通訳は通訳者が現場に集合しないとできないものと考えられてきました。ところが最近、遠隔地からでも大きな遅延なく安定した同時通訳サービスを提供するシステムが開発されています。

たとえば、シンガポールで開催される国際会議に、東京から一人と米国から一人の日英通訳者が、チームを組んで仕事をすることも現実に起きています。

通訳者を複数人出張させると、交通費、宿泊費、移動拘束費、日当とコストがかさむ上に、それに関連する手続きもあるので、**遠隔でコストも手続き負担も抑えよう**という狙い

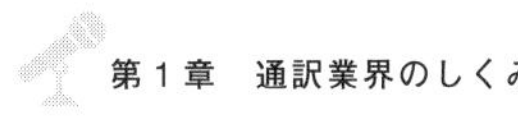


があります。

オンラインマッチングと同様、ユーザーである企業にとってはコスト削減と手続きの簡略化というメリットがあるので、一定程度は普及が進むと考えられます。ただ、ＲＳＩはシステム自体がまだ新しいので、通訳者に過大な負担がかかりがちです。

まず、現地にいるエンジニアが遠隔操作をするため、ＲＳＩ専用のＰＣを用意することを推奨されますし、ネット接続の安定性を確保するために、無線ではなく有線が必須です。これに加えて、業者ごとの異なるＲＳＩプラットフォームに対応するために、事前に操作トレーニングを受けなければなりません。

それでも、指定機材を揃えて、トレーニングを受ければ、相当な仕事量を確保するポテンシャルはあります。私の知っている通訳者の中には、ユーチューバーが使うような簡易防音室（要は人間一人が入る程度の電話ボックス型設備）をＲＳＩ業務用に購入し、それを物置部屋の片隅に置いている人もいます。

報酬的にはオンラインマッチングほど価格低下は進んでいませんが、「移動負担が軽減される分、通訳者の料金は低くなるべき」と主張する業者も存在します。

通訳者側としては、どこで行うにしても事前準備に要する時間と労力は変わらないので、主張するべき部分は毅然とした態度で主張するべきでしょう（たとえば移動負担の軽減分は、移動拘束費が発生しないことで相殺されるので料金は低くならない、など）。

## ▼通訳者は季節労働者か？

本書の執筆を始める前に、シリーズ本である『通訳ガイドというおしごと』（島崎秀定著、アルク）を参考に読んだのですが、通訳ガイドは春と秋が忙しい反面、夏と冬には仕事が少なくなるとのことでした。

では**通訳者はどうかというと、八月と十二月中旬以降は比較的ヒマになる人が多い**ようです。欧米人はバカンスをきっちり取りますが、日本でも八月のお盆休みと年末年始は仕事の絶対量が減るためだと思われます。

反対に通訳の繁忙期は間違いなく秋から冬の初め、つまり九月から十二月上旬です。ただ通訳者の活動分野によっては、繁忙期と閑散期が必ずしもこの通りだとは限りません。私個人の例ですが、毎年八月に必ず二週間程度の海外出張がありますし、十二月の第四週に大臣付きで中東に飛んでくれませんか、というようなオファーもたまにあります。

それ以外に、毎年開催される多数の通訳者を必要とするイベント、たとえばＩＲカンファレンスが行われる時期（二月〜三月、九月や十二月）などは、文字通り通訳者の争奪戦で、一年前から仮予約を求めてくるエージェントもあります。

通訳者のほうも効率的に仕事をこなしていきたいので、繁忙期には午前中にA社で二時間の会議、午後はB社で三時間、そして夜はC社主催の夕食会と、仕事をハシゴすることもあります。

さすがに、このように一日に詰め込むだけ詰め込むという稼働パターンを連日続けるのは体力的に無理がありますが、技術があって信頼されている通訳者であれば、九月からの三カ月はほぼ毎日のようにオファーが届くでしょう。そのため、フリーランスが生産性を最大化するには、スケジューリング能力も重要になってきます。

参考までに、私の繁忙期の週間スケジュールを公開します。

高い評価を受けている通訳者は、仕事を入れようと思えば平日、休日も関係なしでスケジュールを詰め込むことも可能です。しかしそれはさすがにきついので、時には体力と相談しながら休養日をはさむこともあります。

私はどちらかというと繁忙期にはがっつり働き、閑散期には長期の休みをとって徹底的に遊ぶというタイプです。特に近年は成長久しいアジア諸国で屋台めぐりをしています。

## 繁忙期の週間スケジュール例

日曜日　▼午前中に海外出張から帰国。昼寝のあとに、翌週の案件についての原稿を読む。

月曜日　▼午前中は前週の案件で使った用語集のまとめと電子化。クライアントと打ち合わせを兼ねた昼食後、午後二時から新商品発表の記者会見（英日逐次、日英ウィスパー）。午後七時からリーガルテックセミナー（同通）。帰宅後、一時間ほどエネルギー業界の時事問題を検索。

火曜日　▼再生可能エネルギー関連の国際会議（一日目、同通）。懇親会にも対応し、帰宅は午後一〇時頃。

水曜日　▼再生可能エネルギー関連の国際会議（二日目、同通）。夜は銭湯でまったり。帰宅後に翌日の準備（大臣の発言要旨をサイトラ）。

木曜日　▼午前中は、経済産業省で要人の表敬訪問（逐次）。昼食は省内の食堂で。午後はゲーム開発会社でユーザー調査（同通）。夜は新幹線で大阪に移動。ホテルで特許文書の読み込み。

金曜日　▼午前中から夕方まで特許関連の打ち合わせ（逐次）。夕食は帰りの新幹線で資料を読みながら。

土曜日　▼午前中は通訳者仲間に頼まれて、ＮＰＯ団体の会合（同通）。帰宅後、翌週から開催の貿易・デジタル経済関係の国際会議のために準備を始める。日曜日朝に現地へ移動予定。

私自身はここ数年、年末はあまりの忙しさで文字通り「忙殺」状態です。確定案件があるからと以前断ったエージェントから、改めて「ダメもとですが……」とか、「すでにお仕事が入っているとは聞いてはいますが、もしキャンセルになるようでしたら……」という悲痛な問い合わせメールが、コーディネーターさんから何度も届いたりします。手配する側も繁忙期は、それだけ必死なのです！

# 5 通訳者は食べていけるのか？

## ▼新人時代のトホホな稼ぎ

当たり前のことですが、生きていく上でお金は大事です。ボランティアでやるならともかく、プロを目指すからには、通訳を自分の職業に選択した場合、果たしてどれだけ稼ぐことができるのかというのは大きな関心事でしょう。

ということで、通訳という仕事は儲かるのか？

この問いに対して、新人時代の私だったら胸を張って「イエス」とは答えられなかったでしょう。一日頑張って働いてたったの四〇〇〇円という、ファストフードの学生バイト以下という酷い仕事も経験しましたし、銀行通帳で入金額を確認して「あれ？　ゼロが一つ足りなくね？」と驚いたこともありました。

それでも、どの業界でも言えることではありますが、一定の実力があれば比較的高い収入を得ることはできます。ただし、どれほど稼げるかは勤務形態、主な活動分野、スケジューリング能力、営業力などといった要素に左右されます。

まずは働き方による収入の違いです。

## ▼働き方によってリスクとリターンに大きな差

先ほど説明した通り、通訳には三種類の勤務形態がありますが、収入に関してもこの三つは大きな違いがあります。簡単にまとめると、おおむね次のようになります。

**ローリスク／ローリターン　＝インハウス**

**ミドルリスク／ミドルリターン＝エージェントの専属通訳者**

## ハイリスク／ハイリターン＝フリーランス

なぜこのようなリスクとリターンの違いが出てくるのか、それぞれのケースを見てみましょう。

### 【インハウス】

企業に所属しているインハウスは、エージェントの専属通訳者やフリーランスと比べて**収入が安定している**というのが大きな特徴であり、メリットです。また企業が常駐として雇うくらいですから、時間をかけて通訳者を育てていこうという意思がある場合が多く、**環境面・心理面でも恵まれている**といえます。

年収はだいたい四〇〇万円～五〇〇万円あたりが一般的。これを普通のサラリーマンより高いとみるか低いとみるかは人によると思いますが、一つだけ普通のサラリーマンと大きな違いがあります。それは「基本的に昇進しない」ということです。

前述したとおり、通訳の技術はその個人に属し、会社に蓄積されたり他の人に継承されたりするものではないので、基本的には組織内で課長にも部長にも抜擢されることはなく、入社時の肩書きを何年も持ち続けることになります。そして昇進しないということは、給料面でも基本的には大きな変化はありません。

もちろん待遇面に関しては、会社側と交渉することは可能でしょう。しかし入社時に四〇〇万円だったインハウスの年収が、同じ会社に一〇年いたら一〇〇〇万円になるかというと、可能性はかなり低いといえます。

実績を積んだフリーランスであれば、年収一〇〇〇万円を超える人は少なくありませんが、インハウスでこのラインを超えるのは、ベテランでも難しいでしょう。

そのため、年収アップを求めるインハウスは、今所属している勤務先と交渉せずに、違う企業に転職するパターンが多いようです。この会社で三年、あの会社で二年と転職を繰り返して徐々に収入を上げていき、かつ複数分野で経験を得て専門知識の幅を広げるのも

一つのキャリア戦略です。

いずれフリーランスへの転身を目指す場合は、実力が付いたと思ったら早めに動いたほうがよいと思いますが、通訳者としての技能にまだ不安を感じている場合は、インハウスで実力を高めていくのもよいでしょう。

インハウスで同通をする場合、会議室に同通ブースが設置されていることはほぼないので、パナガイドなどの簡易通訳機材を使っての生耳同通をせざるを得ません。声が通らない人がいたり、通訳者に背を向けてわかりにくい話をする人がいたりという厳しい環境で二年ほど修行すれば、聞き取る力と反応速度はかなり向上するはずです。

同通ができない通訳者は、少なくとも日本市場においてはあまり価値がないので、まずは生耳で鍛えて同通スキルを磨き、力が付いたところでフリーランスになるというキャリアプランもあります。

ただし、登録先となるエージェントのほうでは、基本的にインハウスの実績をほとんど考慮しません。元いた会社がかかわっていた業務分野には長けていても、他分野における対応力・柔軟性が未知数なので、ゼロベースで考えて登録するしかないということなのだと思います。そのエージェントで活躍している他の通訳者の紹介でもない限り、レートは低めに設定されます。

少しでもレートをよくしようと考えてか、複数分野で実績を作るために、一社で最長一年、三年で三社以上インハウスの経験を積んでから独立し、エージェントに登録する人もいます。

余談ですが、インハウスは初年度でも有給がもらえます（数十万円の価値あり）。労働基準法に守られているので休日勤務は割増し！　このあたり、さすが社員には手厚いですね。

**【エージェントの専属通訳者】**

**エージェントの専属通訳者の収入ポテンシャルは、インハウスより少し上です。**一年目から多分野の案件を担当できるので、自然に実績も積み上がっていきます。のちのちフ

リーランスを目指すのであれば、専属通訳者は有力な選択肢だと思います。

また、業界の大ベテランの隣で仕事をしながら学べるという、プライスレスな経験も得られます。フリーランスだと、現場で親切に教えてくれる先輩はあまりいないので、この「現場教育」は何ものにも代えがたい魅力です。

ただ、よほどのことがない限り、最初に結ぶ専属契約はエージェントに有利な内容になりがちなので（下積みを前提とする契約内容）、初年度から高収入は期待できません。そのため、一定の経験を積んだあと、専属通訳契約を更新せずに、完全フリーランスになる通訳者もいます。自分の実力に自信があり、かつ収入を最大化したいのであれば、フリーランスにならないとその目的が実現できないからです。

**【フリーランス】**

**フリーランスの収入は、基本的に「稼働日数×単価」**になります。できるだけ単価の高い仕事をたくさんこなすのが高収入を得る秘訣ですが、体力にも能力にも人それぞれの限界があるので、自分に無理のない範囲でいかに効率よく仕事を入れ、単価を上げることができるかが大切です。不断の努力が必要ということですね。

繰り返しますが、通訳業界では報酬は終日（一時間の昼食休憩を含む八時間以内の拘束）か半日（午前か午後の四時間以内の拘束）で計算するのが一般的です（エージェントによって若干異なる）。午後二時から三時までの実働六〇分でも半日計算です。終日を超えた場合は、オーバータイム料金が発生します。

これに加えて、出張には移動拘束費（移動で生じる機会損失に対する報酬）や日当、そして現場で通訳者の声を録音・録画して本来の目的以外に使用する場合は二次使用料が発生します。

二次使用料は、たとえば株主総会の通訳付き動画を会社の公式サイトにアップし一般公開する、というものなどが該当します。

移動拘束費、日当、二次使用料はエージェントにより異なり、業界標準的なガイドラインは存在しません。当然ながら移動拘束費は移動距離が長いほど、二次使用料は二次使用の範囲が広いほど、高額になる傾向があります。

なお、エージェントから正式に発注された案件が直前にキャンセルになった場合は、キャンセル料が発生します。キャンセル料がいつから発生するか、いくらになるか（通訳料の○パーセントという形が一般的）は、エージェントによって異なります。

インハウスと専属通訳者は会社に守られているので、贅沢をいわなければ間違いなく食べていけますが、フリーランスは完全実力主義で保証なし、ハイリスクな世界です。技術がなければすぐに干されますし、技術があっても営業力（通訳者としての自分を売り込む力）がなければ本来稼げるお金も稼げません。ハイリターンが見込める半面、収入は通訳技術以外の要素にも左右されるということを覚えておいてください。

## 今、最も稼げる分野は？

単純な話ですが、人気のある業界、分野、テーマのほうがそれだけ通訳を必要とする案件が多いため、仕事が多く発生します。同様に、専門性が高い分野は対応できる通訳者の数も限られるので、腕がある通訳者は仕事が途切れることがありません。つまり需要と供給のバランスの問題です。

国内ではIRやITの通訳ができる人材は豊富ですが、法務や医療など高度な専門分野になると、必要な技術と経験を有する人材プールが非常に限定されます。そのため、有能な通訳者は常にひっぱりだこです。結果として仕事の八割〜九割が歯学や医療機器関係になっている分野特化型のプロもいます。

有能な人材が不足している＝供給が少ないということであり、レートは必然的に高くなります。日英通訳者に限れば、米国のレートは日本のレートよりも数割高いのですが、これも米国では有能な人材が不足しており、通訳者に希少価値があるゆえの現象です。

またＩＲやＩＴの分野でも、本当にうまい通訳者は他の通訳者の追随を許さない圧倒的な知識と技術を持っているので、人気です。とはいえ、仕事量が多い上に、クライアントの予算が限られているため、経験的・技術的に未熟な通訳者も多く採用されているのが現実です。

そのため、一部のクライアントはその程度の質に慣れてしまい、今では「ＩＲは駆け出しの通訳者でもできる仕事」と考える業界関係者も増えています。

ＩＲやＩＴの分野に限らず、顧客の期待値も予算も低い傾向にある分野で高めのレートを確保したいのであれば、確かな技術は当然として、通訳者の「個」を強烈にアピールできる何かが必要不可欠です。

## 自分のスケジュール管理も重要な仕事

高いレートで一週間のニューヨーク出張をオファーされたけれど、すでに同じ週の水曜日に国内の仕事を受けていたので、おいしい話を泣く泣く断る……なんてことは中堅通訳者でも意外によくあることです。フリーランス通訳者は、自分の技術や体力に無理がない範囲でできる限りの仕事を受けていくのですが、スケジュールの調整能力も重要な資質の一つです。

収入の最大化だけを考えれば、一時間や二時間の案件（それぞれ半日料金になる。半日料金は終日料金の六〇～六五％程度）を一日に四本くらい詰め込むのも一つの手で、繁忙期にはこれを実践している通訳者もいます。

ただし、分野を適切に選ばないと準備にかなりの時間を要しますし、仮に一日に四つの異なる分野を通訳するとなると、精神的にも相当消耗します。四つの現場を移動するのに使う体力も無視できない上に、なんらかのトラブルが生じて遅刻する可能性もありますので、あまりにギチギチの余裕のないスケジューリングはお勧めできません。

具体的なスケジューリング法はキャリアステージによって異なりますが（のちに詳述）、新人はレートよりも案件数を優先し、ベテランは案件数を減らして高レート案件を優先、という考え方が一般的です。

## 自己アピールと交渉力も必要

通訳だから外国語さえうまければＯＫ、というのは大きな間違いです。といっても誤解してほしくないのですが、プロである以上、確かな技術を持つのは当然であり、最優先事項でしょう。ただし、「確かな技術は確かな収入を約束するのか」という問いに対して、私は「必ずしもそうではない」と言わざるを得ません。それにプラスして「営業力」が必要となるからです。

ここでいう「営業力」とは、「通訳者としての自分の価値を演出する能力」のことです。インハウスやエージェントの専属通訳者でも、自分をうまく演出できない人はできる人よりも昇給が遅れますよね。フリーランスであれば、新規の仕事獲得やリピート指名、レートアップに直接影響が出てきます。

いくら品質がよくてもＰＲ不足のために売れない商品があるように、通訳者も「自分が持つ本来の価値」をクライアントに気付かせる能力がなければ、その他大勢の一山いくらの通訳者として認識されてしまいます。

さらに、本書でいう「営業力」には「交渉力」を含みます。日本人は交渉が苦手とよく言われますが、これは学校教育や日常生活で交渉について本格的に学習・実践する機会がないのが大きな理由でしょう。知識がなければ躊躇するのは当たり前です。

交渉をするタイミング、BATNA（Best Alternative to a Negotiated Agreement、交渉決裂時の最良の選択肢）の設定、両当事者が納得する妥結点の見極めなど、適切な知識に基づき交渉する能力は、通訳者の営業において非常に重要です。

なお、交渉については『ハーバード流交渉術』（ロジャー・フィッシャー、ウィリアム・ユーリー著 金山宣夫、浅井和子訳、三笠書房 知的生き方文庫）、『交渉は創造である ハーバードビジネススクール特別講義』（マイケル・ウィーラー著 土方奈美訳、文藝春秋）、『FBIアカデミーで教える心理交渉術』（ハーブ・コーエン著 川勝久訳、日経ビジネス人文庫）などがとても参考になります。

# 第2章
# 通訳者への道

# 1 通訳者の適性

## 優れた言語能力だけでは通訳者になれない

本章では、通訳者になるための具体的な方策を伝えます。通訳者になるルートはいくつかありますが、本章を参考にしながらご自身の言語運用能力、通訳技術、学習に使える資金、時間的余裕などを検討し、自分に合った道を探していただければと思います。

言うまでもありませんが、通訳者になるためには外国語を日本語（あるいは日本語を外国語）に訳すことができなければ話になりません。そのベースとなる言語運用能力は、海外で生まれ、または育って自然に身に付けた人もいれば、国内での学習により後から獲得した人もいます。

言語運用能力は、人それぞれの育った環境や持って生まれた才能の差はあれ、努力した分、ある程度は身に付けることができるでしょう。しかし、**人並み以上に外国語を自由に操れるからといって、必ずしも通訳者になれるわけではありません。通訳者としての適性とスキルがうまく噛み合わなければ、成せるものも成らないのです。**

どんな職業にも、向いている人とそうでない人といった、いわゆる「適性」があります。「通訳者への道」を歩み始めることは誰でもできますが、通訳者に向いていない人、つまり適性がない人が通訳者を目指しても、あとでつらく苦しい思いをするだけです。

もう一つ、スキルの問題があります。本書でいうスキルとは、主に「後天的に獲得・強化できる技能」を指します。たとえば、スケジューリングの最適化には事務管理能力や市場動向を予測する力が必須ですし、ノートテイキングには論理的思考・表現力、さらには情報価値を見極める力などが欠かせません。

ここからは通訳者の適性とスキルについて説明します。さらに、この道を生業にしているからこそ必要なプロとしての姿勢についても語ります。姿勢をおろそかにする人は、結局はその道で大成しません。まずは通訳者の適性についてです。

## 通訳者って、お喋りなほうがいい？

業界のパイオニアである故・村松増美が、「通訳者はお喋りなほうがいい」と発言したと聞いて、これまたパイオニアの一人で村松よりは寡黙な小松達也が、「そんなことはない」と言ったという有名な話があります。

私のまわりにも、放っておいたら一日中喋っているような通訳者もいれば、気配すら感じられない静かな人もいます。そういう私自身、言いたいことがあれば大いにお喋りになりますが、ひとたび休暇に入ると、レストランでの注文など必要な言葉以外はあまり発しません。

通訳者は、日本語と外国語を不自由なく喋ることができることが大前提ですが、普段は、あるいはプライベートでは、饒舌でも寡黙でもどちらでもよいのではないでしょうか。個人的には、「お喋り」と「通訳のうまさ」はあまり関係ないと思います。

なお、お喋りとは直接関係はありませんが、耳で聞いて意味を取るのが苦手な人は、残念ながら通訳には向いていません。聞こえないものは訳せないですから。

## ▼通訳者って、プレッシャーに強くなければできない？

これは答えがはっきりしています。できません。異論を唱える通訳者はおそらくいないでしょう。

通訳の現場はプレッシャーだらけです。その**プレッシャーは主に「時間的プレッシャー」と「正確性プレッシャー」の二種類に分けられます。**

同通では、訳の正確性に一定の担保をしつつも、話者の話に遅れずについていく「時間的プレッシャー」への対応が重視されます。一方、逐次は話者と通訳者が交互に話すので、「時間的プレッシャー」よりも「正確性プレッシャー」への対応が重要でしょう。

逐次は原文と訳文が単純比較できるため、求められる正確性・完成度は同通より高いです。たとえば以下の英文を通訳するとしましょう。

Imagine that it's 4,000 years into the future. Civilization as we know it has ceased to exist – no books, no electronic devices, no Facebook, Twitter, Instagram, or TikTok. All knowledge of the English language has been lost.

同通ですべてを訳すと、①そもそも聞きにくい訳になり、②訳出が遅れてしまうので、場合によっては価値の低い情報を意図的に訳さないか、まとめて訳します。
たとえば、話者の発話に対して訳出が遅れ始めたと思ったら、追い付くために以下のような訳を出すかもしれません。

同通の訳例：「四〇〇〇年後の未来を想像してください。私たちが知る文明はもう存在しません。本もない、電子機器もない、フェイスブックなどのＳＮＳもありません。英語の全知識が失われた未来です。」

フェイスブックなどのウェブ上のサービスが列挙される下線部分は、個々のサービスにそこまで大きな情報価値がないので、ソーシャルメディアという大きなカテゴリにくくって訳出しています。逐次の場合は時間的余裕があるので、「フェイスブックも、ツイッターも、インスタグラムも、ティックトックも」などと丁寧に訳出することが期待されます。

## ▼通訳者って、打たれ強くなければできない？

**精神的な打たれ強さも、通訳者に必要な適性の一つです。**

たとえベテランの通訳者でも、ノーミスで完璧なパフォーマンスができる案件は年に一回あればよいほうでしょう。

さすがに中堅以上ともなると、コミュニケーションの核心的部分を外すような致命的な失敗はしなくなりますが、細かなミスなどは日常茶飯事で、数え上げていたらきりがありません。それらを反省して改善につなげていくのは大事ですが、いちいちミスをあとに引きずっていては仕事になりません。

「引きずる」で言えば、**同通では「諦める勇気」も大事**です。

特に新人として現場に入り始めた頃は、経験不足から緊張感をうまくコントロールする術を知らないので、集中力を極限まで高めても、イヤホンから聞こえてくる言葉をまったく理解できなかったり、脳内の情報整理が追い付かなかったりする状況に必ず直面します。いわゆるホワイトアウト、頭の中が真っ白な状態です。

しかし、現場にいる限りは、わからないから黙っているということはありえない話で、何でもいいからなにかを口にしなければ始まりません。そんなときは、処理に困っている部分をバッサリ切り捨て、次のセンテンスから始める勇気も時には必要です。本来はプロとしてあってはならないことなのですが、現場で時間的プレッシャーに押しつぶされそうな人間に理想論を語っても、何の役にも立たないでしょう。

わからないから（または聞き取れないから）と、まとまりがないセンテンスをだらだら続けて、その結果もっと遅れて聞き手を戸惑わせるくらいなら、いったんリセットした方が聞き手にも通訳者にもプラスです。大胆に開き直れるメンタルの強さが大切なのです。

## 2 通訳者に必要なスキル

### ▼「お喋り」よりも大切な「話す」スキル

適性に続き、通訳者に求められる「スキル」の話をします。

通訳は、外国語を訳し、話して伝える仕事ですが、言語運用能力以外に必要な技能があります。

まず「話す」スキルです。「通訳者はお喋りのほうが向いているか」という話をしましたが、お喋りかどうかよりも「話す」スキルを持っているかどうか、より具体的に言うと**「論理的に話す」ことができるかどうかのほうが重要**です。

では、「論理的に話す」とはどういうことでしょうか。

通訳者は相手に伝えることが仕事ですので、話者のメッセージをわかりやすく整理して訳さなければなりません。業界には「話者の話がわかりにくければ、通訳者もわかりにくい訳をすべきだ」と主張する方もいますが、私は必ずしもこれには同意できません。わかりにくい理由が話者の口下手なのであれば、**情報を整理した上で訳すのがプロの仕事**だと考えるからです。

もっともこれとは別に、わざとわかりにくく話をする話者もいます。時間を稼ぎたいのか、あるいは核心に触れないように話したいのか。理由はさまざまですが、この場合は話者の意図を察して、同じようにわかりにくく訳すべきでしょう。

このあたりの判断は一見難しそうですが、打ち合わせや現場の空気などから察知できることが大半です。

私自身、打ち合わせの際に担当者から「この部分は相手から突かれたら痛いところなので、お茶を濁してのらりくらりとかわす感じでいきます」と伝えられたことがありました。ここまで率直に言って頂けると、仕事がしやすいですね。

話す声の質や抑揚など、発話のテクニックについては、第四章で解説します。

## ▼TPOに合った話し方

「論理的に話す」とともに、**「TPOに合った話し方をする」のも大切なスキル**です。

一例を挙げましょう。以前に担当した、世界的に有名な大企業の案件です。社長以下、出席者全員がそろったのを見計らって、進行役の社員が「では、始めます」と会議の開催を告げました。すると、私のパートナー（通訳現場で通訳者が二人いる場合の相手）が、いきなり "All right, let's get it." と言ったのです。これには本当にびっくりしました。なぜなら、経営幹部が居並ぶ重要な会議の席で、若者が仲間内で使うタメ口のような口調で通訳したのですから。

政府高官や経済界のリーダーが参加する会議では、通訳者も状況に合わせて丁寧かつ品格がある話し方を意識しなければなりません。"I feel you!" と "I share your sentiment on the matter!" では印象が相当異なります。講演者との信頼関係を築く場面で "I feel you!" のような話し方をするのは、悪意がなくとも相手が不快に思うかもしれません。

なお、業界内には「関西で通訳をする時は、関西弁で訳したほうがウケがよく、場が和む」という噂があります。本当かもしれませんが、私は実際に見たことがないのでわかりません。でも、考えてみてください。通訳が必要とされる現場は圧倒的に東京が多いわけですから、通訳者の出身地がどこであれ、やはり訛りは封印して標準語で話すのが無難ではないでしょうか（訛りに違和感を覚えるクライアントは意外に多い）。関西圏で、関西人だけを相手にする通訳者であれば話は別かもしれませんが！

また話し方もさることながら、可能な限り簡潔な文章で話すスキルも磨いていかなければなりません。つまり、**聞き手に情報を正確に、かつ聞きやすい形で伝える技術**です。

相手にとって聞きやすい訳には、リズムや速度、抑揚などさまざまな要素がありますが（詳しくは第四章で解説）、短すぎず長すぎず、論理的に筋が通っていることが必要不可欠です。

一般的に、通訳者は「きちんと伝えよう」と意識するので、実際には短すぎる訳をすることはほとんどありません。その逆に、きちんとしすぎるあまり、長すぎて会議を遅らせたり、聞き手を不快にさせたりすることはあります。自分本位にならず、バランスを見極めることが大切です。

この「ＴＰＯに合った話し方」と「簡潔な文章で話す」ことは、主に読書経験から得られる技術です。その意味では読書が嫌いな方は通訳者に向いていないでしょう。

## ▼通訳者に必要な「アクティブ・リスニング」とは？

**「話す」とともに「聞く」ことも、通訳者に必要となる重要なスキル**です。

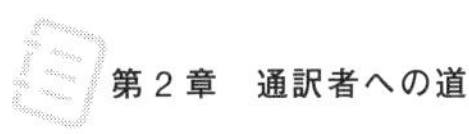


「聞く」つまり「リスニング」ですが、**通訳者が実践するリスニングは高度な集中力と情報処理力を要する「アクティブ・リスニング」**です。

カフェなどで、友人のとりとめのない話をぼーっと聞いていると、途中で集中力が途切れて、うっかり話を聞き逃すことがありますよね。同じことを通訳の現場でやってしまったら、大変なことになります。「アクティブ・リスニング」とは、相手の話を受動的に聞き流すのではなく、会話の中から事実や話者の意思・意図を主体的に把握することで、話の本質を明確にする傾聴行為です。

将棋の棋士は、相手が指した一手からその戦略的意図を汲み取り、対抗手段を複数考え、そこからさらに先の展開を読みます。通訳者も同じこと。話者の言葉をただ聞くだけではなく、それが何を意味しているのか、そして議論がどこに向かうのかを常に読んでいるのです。

アクティブ・リスニングの能力は通訳の命綱ですが、体力的・精神的消耗がとても激しい行為です。そのため長時間の業務には複数の通訳者が必要となりますし、アスリートと同じく加齢とともにその能力が衰えてくるのは否定できません。

## ▼「記憶する」と「記録する」

さて、「話す」と「聞く」は通訳者の基本スキルですが、これだけでは通訳はできません。もう一つ**重要なスキルに「記憶する」があります。**特に、話者が話した後に通訳者がそれを訳す逐次では、この「記憶する」がとても重要になります。

とはいえ、長々と話をする人がいる上に、その内容は必ずしも整合性が取れているものばかりとは限りません。途中で脱線し、そこから本題に戻り、また脱線する、なんてことはざらにあります。棋士と通訳者は、相手の一手から次の展開を読んでいかなければならないと書きましたが、論理的につながっていない話を正確に記憶し、分析するのは実に難しい。いくら自分の能力を鍛えても限界があります。

そんな時、**通訳者の最強の手段となるのが「記録する」、つまり「ノートテイキング（メモ取り）」です。**理想としては、短期記憶だけですらすらと訳せればよいのですが、現場では常にサプライズがある上に、正確に訳さなければならない数字や人名が容赦なく飛び交うので、メモ帳の準備は必須です。

欧米では、ノートテイキングを専門に扱った教科書もありますが、残念ながら日本では『よくわかる逐次通訳』（ペルジュロ伊藤宏美・鶴田知佳子・内藤稔著、東京外国語大学出版会刊）や『通訳の技術』（小松達也著、研究社）などのテキストの一部でしか取り上げられていません。通訳学校でもノートテイキングを体系的に教えるところは、私が知る限り存在しないようです。この手法は、先人たちが提案した基本的な記号を参考にしながら、自分に合ったスタイルを見つけていくしかないでしょう。

ただし「正確に訳すにはすべてを記録しておかなければ」と考えるあまり、ノートを取り過ぎるのは本末転倒です。**聞くことが第一で、ノートはサポート。**あくまで短期記憶を

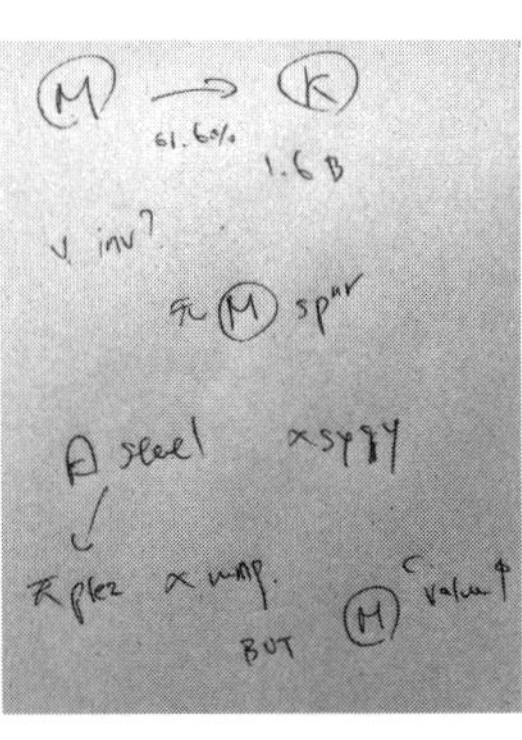

ノートテイキングのダメな例

補完するものです。ノートテイキング以前に、**十全な事前準備や資料の読み込み、あるいは普段からの教養や知識の蓄積がよりよい通訳へつながるということも忘れないでください。**

上の写真は、著者が「メルカリが鹿島アントラーズを買収」というヘッドラインだけを事前知識として持ち、ニュース解説の動画を初めて視聴して取ったノートです。事前知識が乏しいので、略語が活かしきれておらず、ノートも取りすぎの傾向があるダメな例です。案件の知識が豊富であるほど、通訳ノートは量が減り、最適化されます。

ちなみにニュース解説動画の要旨は次のとおりです。

「メルカリが日本製鉄から鹿島アントラーズの株式61・6%を16億円で取得。これはバリュー投資になるか？　元々メルカリは鹿島アントラーズのスポンサーだった。日本製鉄はシナジーが生み出せなかった。日本製鉄から天下った社長はうまく経営できていない。

メルカリが親会社になることで、企業価値は上がる」

## 話者が話したらすぐ訳すか？　それとも待つか？

同時通訳のスタイルには、**話者が話してからほぼ遅延なく訳出する「即応方略(immediate response)」と、一定のまとまった情報単位を待ってから訳出する「遅延方略(wait and see)」**があります。

即応方略はfirst in, first out（ＦＩＦＯ）とも呼ばれ、聞こえた順から訳していくスタイルです。そのため、話者が多少早く喋っても遅れにくいのですが、必然的に訳の文章単位が短くなるのでどうしても粗い文章構造になり、聞き手には（日常会話と比べて）不自然に感じる部分が発生します。また、通訳者が文脈から先読みして特定のメッセージにコミットした場合、話の後半になって、話者の実際のメッセージが通訳者の読みと異なっていたときに、訳の修復が難しくなります。詳しくは第四章で説明します。

一方、遅延方略は、即応方略に比べて訳の正確性に優れる一方、訳し始めるタイミングを逸してずるずると遅れてしまうという危険性があります。特に、同通の通訳者は遅れることを本能的に恐れるので、どれだけ待つかの見極めにとても苦労します。

このように、即応方略と遅延方略のどちらも一長一短があります。**一般的には経験を積むほど「遅延方略」にシフトしていく通訳者が多い**ようです。聞き手はわかりやすい訳を期待するので、それに応えるためには遅延方略のほうが適していると考えるからでしょう。

## ▼話の内容を「整理する」

即応方略でも遅延方略でも、わかりやすい訳、美しい訳を目指すことには変わりありません。では「わかりやすい訳」にするためにはどうすればよいのでしょうか。

欧州連合で二〇年以上通訳者を務め、教育者でもあるローデリック・ジョーンズは、

『会議通訳』（松柏社）で次のように書いています。

通訳者の仕事は、スピーカーの言わんとすることをできるだけ誠実に伝達することである。しかし、それが書かれたものであっても、口頭によるものであっても、必然的にオリジナルの形から変わるのである。最も忠実な通訳とは、スピーカーが意図した考えを形を変え、最も正確に表したものに過ぎない。考えを正確に表すということは、必ずしもスピーカーの言葉そのものや語順を複製することではない。スピーカーに忠実であるためには、言葉や語順に背かなければならないという矛盾をむしろ正当化したいのである。

ジョーンズが言うように、通訳者は単に「スピーカー（話者）の言葉そのものや語順を複製する」言葉の置き換えマシンではありません。**話者が話した内容を「整理」し、「再構成」して訳出するのが通訳の仕事です。この一連の流れを「デリバリー（delivery）」と呼びます。**

もちろん、クライアントの価値観や期待感は多種多様で、原文に忠実な訳を求める人もいれば、それよりも内容が伝わることを重視する人もいます。

ロシア語通訳者の故・米原万里は、原文の言葉と語順に忠実な訳を「貞淑な醜女」、原文の制約から解放された自由な訳を「不実な美女」だと表現しました（『不実な美女か貞淑な醜女（ブス）か』［新潮文庫］より）。たとえば、法務関係では「貞淑な醜女」が、マーケティングイベントなど華やかな舞台では「不実な美女」が好まれる傾向にありますが、大半の現場ではこの二つの間のバランスをうまく取るのが通訳者の仕事です。「貞淑な醜女」訳と「不実な美女」訳と言われてもイメージしにくいかもしれないので、こちらを参考にどうぞ。

As much as we might like to think of ourselves as independent and self-sufficient, the truth is that our prestige, place, and power are all direct results of the work we do as a community.

貞淑な醜女訳：「私たちは自分たちが独立かつ自立していると思いたいかもしれませんが、真実は、我々の名声、地位、および力はすべて私たちがコミュニティとして行う仕事の直接的結果なのです」

不実な美女訳：「他人に頼らずやっていけると考える人もいるかもしれません。でも本当は、一人では何もできない。コミュニティの活動があるからこそ、今の私たちがあるのです」

この**「文章を再構成する」過程で重要なのが、「頭の中でイメージを描く」こと。**話を理解できていたら、イメージが描けるはずです（そもそも話を理解できていなければ訳せません）。話の内容を脳内で映像化すれば、訳の表現力が向上することは間違いありません。

## 訳を始めるタイミングは？

先ほどの即応方略と遅延方略の話とも関係しますが、**訳を始めるタイミングも非常に大切**です。

駆け出しの逐次通訳者にたびたび見られるのですが、話者の話が終わるのを待たずに訳し始める人がいます。早くスタートを切りたい、さっさと訳してしまいたいという気持ちから、焦って話し始めるのでしょう。しかし、このような行為は話者に対して失礼です。中には長々と話し続ける話者もいますが、通訳者は基本的に相手の話を遮ってはいけません。

もっとも、自分の話に夢中になって、通訳者の存在をうっかり忘れてしまう人もいます。そのような時、私は意図的に訳出開始を遅らせて、ほんの一瞬の「沈黙の間」を置きます。するとほとんどの話者は「あ、そういえば通訳者がいたな。ちょっと長すぎたかもしれないから、次からは短めにいこう」と空気を読んで意識してくれます。

## スケジュールとタイムマネジメント

**スケジューリングを含むタイムマネジメントも、通訳者に欠かせないスキル**です。特にフリーランスの通訳者は、自分自身でタイムマネジメントをする必要があります。

そのタイムマネジメントに失敗して信用を逸したというフリーの通訳者の例は、枚挙にいとまがありません。

たとえば、欲を出して一日に何本も仕事を詰め込んだものの、電車の遅延で結局集合時間に間に合わなくなったという人がいます。また、海外で案件をこなしたあと深夜便で早朝に帰国し、別の案件に直行したものの、現場待機中に睡眠不足でうとうとしてクライアントに大恥をかかせた通訳者もいました。

通訳者の収入は基本的に稼働日数×単価で決まるので、たくさんの仕事を入れたい気持ちはわかります。しかし、この仕事を長く続けるためには、適切な移動時間や自分の体力を考慮した上で、生産的・効率的なスケジュールを組むスキルが重要だということを忘れないでください。

# 3　通訳者に求められる姿勢

## ▼貪欲に知識を求める

どの業界においても、そこで生きていくからには、取るべき態度、姿勢があります。それは他の人から指摘、指導されなくても、プロとして自分で意識していかなければなりません。ここでは通訳者に求められる姿勢について話をします。

まず、通訳者は常に、そして貪欲に知識を求めなくてはなりません。

通訳者、特にフリーランスは、毎日のように異なる分野の現場で働き、最先端の概念や技術に触れる機会があります。仕事に必要なこれらの知識はもちろん、**常日頃からあらゆる情報をスポンジのように吸収しつつ、その過程を楽しめるようになれれば一人前**といえるでしょう。

通訳は頭脳を含め肉体を酷使する仕事です。そのためアスリート同様、体力や集中力は年齢とともに衰えてきます。しかし**探究心に溢れるプロほど、肉体的な衰えを豊富な知識量で補い、個々の「点」である知識をつなげて「面」として理解する技術に長けているの**です。

## ▼情報収集力、調査能力に長けている

仕事では、現場に入る前にクライアントから資料をもらいます。たいていは発表用のスライドのコピーですが、そこに書かれている内容は当然のこととして、**書かれていない情報、いわゆる周辺情報を事前に調べておかなければなりません。**

たとえばスライドに「競合他社のプレッシャーにより売上減」などと書いてあれば、少なくともその競合他社の会社名と主要製品・サービス、最近の市場戦略などは調べておくべきでしょう。

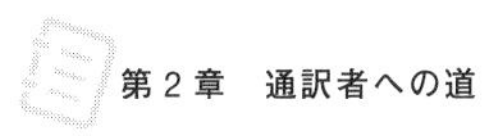


最近はネットの動画コンテンツが豊富なので、これらのトピックについて専門家が語っている動画を検索するのも手です。運がよければ、発表者自身の過去の動画が見つかるかもしれません。話者の喋り方があらかじめわかるのは、通訳者にとって非常にラッキーなことです。

情報収集や調査に関して、私の例を挙げましょう。

外国政府の要人が来日し、通訳を任されることが決まったら、必ずその国の選挙情報を調べます。半年後に選挙を控えているのであれば、それが話題になることが十分に考えられますし、選挙が終わったあとであれば、前政権から何が変わったのか、または引き継がれたのかを知っておくと、意外なところで役に立ちます。少なくとも日本政府側の代表は、事務方からレク（レクチャーのこと）を受けているので、文脈把握のために知っておいて損はないでしょう。

いずれにせよ、知っておくべき情報が常に目の前にあるとは限らないので、それを事前に探り当てるのも通訳者に求められる姿勢です。

## 読書は通訳者がすべき「基本中の基本」

貪欲に知識を追い求める、情報を探り当てる、これらの基本となるのが常日頃からの「読書」です。

**平凡な通訳者と優れた通訳者を決定的に分ける要素の一つは、豊富な表現力です。**これは主に読書を通じて身に付くものです。通訳・翻訳業界には、「本はカネで買える実力」という言葉があるくらい、読書は大事なものです。

自分は日本人だから、母語である日本語に関しては問題ないと思っている人も多いでしょうが、そういう人に限って通訳学校で厳しいダメ出しを受けることになります。

聞き手に日本人が多い国内で活動するにあたり、日本語訳は「できて当たり前」の世

界。英語のアクセントは許してもらえても、日本語の訛りや誤用にはかなり厳しいクライアントが多いのが現実です。さらに年配の経営者が話者になると、普段あまり耳にしない四字熟語やことわざ、含みのある言葉や言い回しを使うケースがよくあります。

こういった言葉のニュアンスを理解し、優れた日本語の運用能力を発揮するには、読書体験がモノを言うのです。

## 帰国子女でないと通訳者になれないか？

さて、通訳者を目指そうとしている人が、適性、スキル、姿勢をクリアした上で、さらに不安そうに聞いてくることがあります。それは、「帰国子女じゃないと通訳者になれませんか?」というものです。

結論から書きましょう。**通訳者になるために、海外での長期滞在経験は必須ではありません。**現在、国内で活動している通訳者の多くは帰国子女ではないですし、短期留学すらしたことがないという通訳者もいます。

**ただ、実際に海外で住んでみないとなかなか体感的に理解できない文化やニュアンス、ユーモアなどがあるのも事実なので、若いうちに一～二年留学生活を送るのはとても有意義**だと思います。

リスニングや発音の強化という点でも、海外の環境に身を置いてみることはとても有効です。通訳者には必ずしもネイティブらしい発音は必要とはされませんが（国内の日英通訳者の圧倒的多数は日本語訛りの英語を話しています）、ネイティブらしい発音で話すことが大きなプラスであることは間違いありません。

**日英通訳者は日英・英日の両方向に対応するのが標準ですし、これができないと人材価値がとても低くなります。**そして両方向に対応する限りは、できるだけネイティブに近い文化的理解や語彙力、発音を追求していくのは当然のことでしょう。

なお、英語の資格についても聞かれることがありますが、**英検などの資格は業界では**

**まったくと言っていいほど評価されません。**通訳の現場で求められる言語運用能力は、一般人よりさらに高いので、資格試験で高得点をとっても価値がないのです。なにしろ、学生時代に英検準二級を取得したことをネタにしているベテラン通訳者もいるくらいですからね（笑）。

## ▼大学卒業後、すぐに通訳者を目指すべきか？

多くのベテラン通訳者は、**社会人を経験してから通訳者を目指しても遅くはない**とアドバイスしますが、私もその意見に完全に同意します。

大学では企業社会のしくみを教われませんし、ビジネスの現場における人間関係の在り方（いわゆる空気の読み方）についても学ぶ機会がありません。しかし、いざ通訳者として現場に出るようになると、これがいかに重要か、身に沁みてわかります。

ですから、まずは企業に就職して、働きながら通訳学校に通って腕を磨くこと。いきなりインハウスになる選択肢もありますが、未経験の通訳者を雇う会社はまずないですし、運よく職を得ても、多くの関係者に迷惑をかけて恥をさらす確率が高いので、あまりお勧めしません。それよりも、普通に就職するのでなければ、一年間海外で生活して語感を磨いたり、文化リテラシーを高めたりするほうが、長期的には得るものが大きいと思います。

**通訳業界は、新人と呼ばれる人でも多くは三〇代前半ぐらい。**二〇代のプロは数えるほどしかいません（結婚・出産後にプロの通訳者になる女性が多いということも、理由の一つにありますが）。

エージェントにとっては、社会経験が乏しい人は使いにくいというのも事実。それに、大学を卒業したばかりの若者に、プロ通訳者として通用する言語運用能力は期待できません。通訳に求められる言語運用能力を養うには、思ったよりもだいぶ時間がかかるということを頭の片隅に入れておいてもらえればと思います。

# 4 通訳者になる３つのコース

## ▼参考にならない私の例

この道を目指す人と話をすると、よく「関根さんはどうやって通訳者になったのですか」と聞かれます。そんな時は必ず「私の話は参考になりませんが」と断ってから話すようにしています。なぜなら私は、通訳学校に通ったわけではなく、師匠的な人について勉強したわけでもないからです。

若い頃の私は経済的に苦しかった上に、生意気にも「何年も修業なんかしてられるか」と思っていたので、通訳学校には通いませんでした。その代わり市販の教本を読み込み、国際会議などに潜り込んでプロのパフォーマンスを見本にして（時には反面教師にして）、試行錯誤を繰り返しながら独学で通訳の技術を学びました。

しかし、結果的にかなり遠回りをしたなと感じています。自分で道を切り拓いた、といえば聞こえはいいかもしれませんが、努力や実力以上に、単に運がよかったのです。

## ▼通訳学校に通うと仕事に結びつく可能性がある

今この本を読んでいるあなたは、大学に通っているか、卒業した人だと思います（中には、これから大学に行こうとしている十代や、通訳者として働き始めた人もいるかもしれませんが）。それを前提にお話ししますが、高校や大学の外国語の授業だけでプロの通訳者のレベルに到達するのは、まず無理です。

これまでにも繰り返してお話ししてきたとおり、通訳者は単純に外国語が得意なだけでなれるものではありません。本質的な語彙力や通訳力は、学校の授業の外で各自が自主的に行う学習によって鍛えられるからです。

**ほとんどの日英通訳者は、大学以外に民間の通訳学校か、あるいは大学院で訓練を受けています。**大学院には、国内と海外、両方の選択肢があります。この三つのコースについて、それぞれ経験者の体験談も交えながら解説していきましょう。

まずは通訳学校です。通常、春と秋の年二回のコースが組まれており、各校が定める基準に沿って授業のレベル分けがあります（たとえば、基礎クラスから会議通訳クラスまで）。講師はスクール卒業生で現役の通訳者が多く、通訳技術に限らず、現場での作法や振る舞い方について実践的な助言が得られます。

授業は一コマ二時間、合計三六回で三〇万円程度が相場です。これを高いと見るか安いと見るかはあなた次第ですが、進級を重ねて一定のレベルに達すると、つまり学校側があなたの実力を認めると、学校と同じ系列のエージェントから仕事を紹介されることがあります。

その意味で**通訳学校は、学ぶ場であると同時に仕事を獲得する場でもある**といえるでしょう。そのことを常に意識して人とつながり、学んでいくと、より効果的です。

学校選びに関しては、体験入学などを通して、個性やスタイルを大事に考え、それらを伸ばしてくれる講師がいる学校を探しましょう。通訳学校の授業価値の九割は、講師の質（技術と講師としての適性）で決まるといっても過言ではありません。

### 通訳のプロは語る 1

白倉淳一さん

社内通訳・翻訳者
（英日・日英）

**Q** 通訳学校で学んでいた時、意識していたことはなんですか？

**A** 入学を決めたのはプロの通訳者になりたかったからです。私は会社を辞めて学校に通うことにしたので、最初からいつまでにプロになると期限を決めていました。

授業は最初の頃は思うように訳せないことも多かったのです

が、授業でできないことは現場でもできないわけですから、できない理由を分析して、技能の要素ごとに勉強するようにしました。当然ですが、周囲の受講生は通訳志望者ばかりです。仲間の力量と比較して、相対的に自分の能力（位置）を測ることができるのはありがたかったのですが、プロになる意識の薄い人とは距離を置くようにしました。

壁にぶち当たっても、「ここは学校だから、しょせんはアマチュアの世界だ」と自分に言い聞かせました。また、進級するのが当然だという意識を持ち、毎日課題に取り組みました。とはいえ、自分でやりたいことをやっているわけですから、それができるありがたさを忘れずに、毎日リラックスして学習するよう心がけていましたね。

## ▼体系的に学べて別の選択肢も増える国内の大学院

近年では、国内でも通訳について専門的に学べる大学院が増えてきました。大学院では逐次・同通の基礎学習に加えて、学問としての通訳を学ぶことができます。

大学院で学ぶ利点は、①体系的なカリキュラムに基づき学べること、②その後のキャリアを支える通訳理論をバックボーンとして獲得できること、そして③修士号を取れば後に大学で通訳を教えるという選択肢が生まれる、という点です。

ただし、大学院は学費がかさみます。また、そもそも即戦力の通訳者を育成するのが目的ではないので、卒業してすぐに現場デビューできるような技術の取得は期待できません。民間の通訳学校と違って、仕事の斡旋もほぼないでしょう。たとえずば抜けた成績を残しても、エージェントの専属通訳者になる道もありません。

そのため、大学院を出たあとに、改めて民間の通訳学校で短期間学び、それから通訳者デビューする人もいるようです。

海外では、大学院で通訳を学ぶのが通訳者になる王道ルートで、大学院卒業を条件とするクライアントもあります。国内でも欧米と同様の水準を目指し、通訳教育の底上げを試みている大学院はいくつか存在しますが、もう少し時間がかかりそうです。

## 通訳のプロは語る２

吉田理加さん

スペイン語会議・司法通訳者

**Q** 国内の大学院を検討している学習者が重視すべき点は何ですか？

**A** 日本国内で通訳を学べる大学院が増えてきましたが、大学院によってさまざまな特色がありますので、自分が求めている内容と合致する大学院を選ぶことが重要です。

一般的に、通訳・翻訳に特化した研究科というよりは、異文化コミュニケーションや外国語教育、英文学、または経済学などの研究科におけるさまざまな専修のうちの一つとして通訳コースが置かれているところが多いようです。

例えば、理論を中心に学べる大学院では、私のように英語以外の言語を専門にする人でも容易に学ぶことができます。通訳専修以外の院生とも一緒に他の授業をとる機会もあり、人的ネットワークを広げられるかもしれません。

また、大学院は研究者になるための基礎を学ぶ場ですので、自分が研究したい分野を明確にして、それを専門とする教員がいる大学院を選ぶことも重要でしょう。

大学院を出たときに、入学時には想像もしていなかったような学び・知識・考え方を経験、習得できれば理想的です。

## 営業戦略までレクチャーする海外の大学院

海外の大学院には、通訳養成の専門プログラムを設置し、各国からの留学生を受け入れている学校があります。アメリカのミドルベリー国際大学院モントレー校、オーストラリアのモナシュ大学、クイーンズランド大学、マッコーリー大学、イギリスのロンドン・メトロポリタン大学などがその代表です。

海外で勉強するメリットはなんといっても現地の言語・文化環境で生活しながら学べること。日本で勉強していては、ネイティブのような正しい発音や異国文化の肌感覚がなかなか身に付かないので、その点では海外留学は圧倒的に有利です。また通訳技術だけでなく、通訳者としての営業戦略などを教えるところもあり、日本の大学院にはない特徴のあるカリキュラムが魅力です。

海外では学生同士が集まって密度の高い勉強会を行うことが多く、そこではシビアかつ建設的批判が飛び交うため、否が応でも通訳者を目指してお互いを高め合っていこうという意識が生まれます。授業より勉強会の方が緊張した、と言う日本人学生もいるくらいですから、そのレベルの高さが想像できるでしょう。

デメリットはやはり費用面。国内の通訳学校や大学院の場合は、仕事をしながら学ぶこともできますが、海外留学ではそれが難しいので、高額な学費とともに一定期間の生活費も事前に用意しなければなりません。

特に社会人の場合は、今の仕事をいったん辞めて留学するとなると、次の仕事の見通しが立たない中で一、二年間海外で勉強するのは、かなり勇気の要ることです。

## 通訳のプロは語る３

石井悠太さん
社内通訳・翻訳者
（英日・日英）

**Q** 海外の大学院を検討している学習者が重視すべき点は何ですか？

**A** 留学先に求めるものは人それぞれだと思います。通訳の勉強を集中的にしたい人、翻訳も一緒に学びたい人、あるいは理論の研究もしたいという人もいるでしょう。

私の場合は、英語圏に長期滞在した経験がなく、通訳訓練も少々かじった程度だったので、腰を据えて二年間は勉強しようと考えていました。さらに「費用」「応募手続」「カリキュラム」の三つの条件から、アメリカかオーストラリアを留学先にしようと決めました。

その中で検討したのが、豪クイーンズランド大学（ＵＱ）と米ミドルベリー国際大学院モントレー校（ＭＩＩＳ）の二校です。

さらに調べたところ、ＵＱのほうが年間一〇〇万円程度学費が安く（二〇一五年当時）、「aptitude test」という実技試験があるものの、ＩＥＴＬＳの点数さえあれば出願できることがわかりました。ＭＩＩＳの願書提出の締め切りが迫っていたこともあり、ＵＱを第一候補にしました。

　ほかにもＭＡＪＩＴという日英に特化した修士課程があること、理論より実践に重きを置いたカリキュラムがあること、また卒業時に受験できるＮＡＡＴＩ（通翻訳者の認定団体）の受験可能な試験レベルが他校よりも高かったこともあり、最終的にＵＱへ留学することにしました。

## ▼手軽なオンラインスクールも登場

ここまで通訳学校、国内の大学院、海外の大学院と三つのルートを紹介しましたが、最

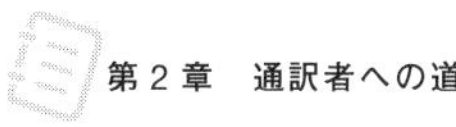


近ではインターネットを利用したオンラインスクールも登場しています。

オンラインスクールの特徴は、複数のタイムゾーンから、国や地域を超えて学習者が集まって授業を受けたり、オンライン勉強会を開催したりできるということです。

これまでのeラーニングは動画視聴がメインの学習でしたが、今では双方向で活発なやりとりができるオンラインスクールやコミュニティが増えています。

日英通訳では、米国西海岸を拠点とする通訳・翻訳サービス会社「EJ Expert」が提供する会議通訳プロ養成講座や、英国在住のグリーン裕美さんが主宰する通訳講座「グリンズ・アカデミー」が代表的な例です。

地方在住の方や、いきなり数十万円の出費が難しい方は、まずはこのようなお手頃なオンラインスクールから始めるのもよいと思います。受講者の技術レベルはまちまちですが、中にはとても情熱的な講師や受講生がいます。そのような方たちとの出会いを大切にして、レッスン外で一緒に勉強会を企画して腕を磨いたり、情報交換をしていくなどして、通訳者を目指す道もあります。

## ▼学校では何を、どう学ぶのか

せっかく学校に通うのに、間違った方向に向かって努力することほど無駄なことはありません。学習者は盲目的に知識を詰め込むだけではなく（一部の学校では宿題・課題が山ほど出るので、そうなりがちです）、確固たる目的意識を持って学習するべきです。

学校では何を、どのように学べばよいのか。ここでは特に重要な三点に絞って説明します。

### ①講師のスタイルを盗め

時間に追われながら瞬発的に訳出する通訳は、感覚的な要素が強い行為です。そのため教本で理論を学ぶより、実技の中から得られるものの方が多いのです。

**よい講師は、授業で複数の参考訳を惜しみなく披露してくれる人**です。逐次の場合は、講師がどのような語順でまとめているか（聞き手が理解しやすいように語順を入れ替えているかもしれない）、同通の場合はどの部分を意図的に落としているかなど、**講師の「商品として成立する訳」を実際に見て、聞いて、自分のものにしていきましょう。**

なお通訳者には大きく分けての二つのスタイルがあります。

一つは原文にかなり近く寄り添う「忠実型」、もう一つは必要に応じて原文から離れて通訳者自身の言葉で訳出する「憑依型」です。

私は忠実型の訳が求められていない限り、どちらかというと憑依型の訳出をしています。ただ初学者は、どこまでの意訳が許容されるのかわからないので、最初は堅実な忠実型でいくべきです。基本的な「型」を習得しているからこそ、そこから外れることができるものです。

それを踏まえて、通訳スタイルが異なる複数の講師を観察しながら、自分に合ったスタイルを見つけていきましょう。

## ②ミスに至る思考プロセスを分析せよ

学び始めた頃のあなたは、きっとありえない、笑ってしまうような誤訳や訳抜けを何度もすることでしょう。それ自体は別に恥ずべきことではありません。ただ、同じ失敗を繰り返さないためには、**ミスに至るまでのプロセスを可視化する試みが必要**です。

相手の話す速度についていけていないのか？　似たような言葉の聞き間違いか？　語順にこだわったのがまずかったのか？　など、ミスの原因を客観視して対策を練ることを習慣化すると、学習効果は格段とアップします。

やり方としては、ネットのインタビュー動画をイヤホンで聞きながら、ＩＣレコーダーやスマートフォンで自分の訳を録音し、あとで動画と録音を比較するという方法が簡単です。私自身、昔はこれでかなり練習しました。あとで聞き返してみると、通訳している最中には気づかなかった自分の口癖や、文章構築のパターンが見えてきます。

経験が浅い頃の私は、英訳の際にいつもセンテンスをand…で終える癖があり、それゆえどこまでもセンテンスが終わらないような、相手が聞きづらい訳になっていました。自分のことばかり考えていて、聞き手を意識していなかったのです。

あと、なんでこんなに興奮しているんだよ、と思うくらい鼻息が荒かったのに加えて、疲れてくると息切れが激しいのが聞いて明らかでした。呼吸も意識するきっかけとなりました。

また、**他の受講生の訳を聞くのも効果的**です。他人のパフォーマンスは極めて冷静に評価できるものなので、うまい訳は盗み、下手な訳はなぜ下手だったのか分析します。時として、自分では思いもつかなかった目からウロコの素晴らしい訳出をする人もいるので、その人の発想をぜひ参考にしてください。私も教えていて、自分が考えた訳よりはるかに素晴らしい訳を出す人がいて、率直に感心することがありますよ（そして盗む！　笑）。

## ③数値化した目標を設定せよ

学習の際は、**小さな目標と大きな目標を明確に設定**することをお勧めします。目標を設定しないと、自分にいくらでも言い訳をして怠けてしまいます。

通訳学校に一〇年近く通った末に、ようやくデビューした人がいると聞いたことがあります。でもそれは、努力は実るという美談ではなく、単にその人に明確な目標設定がなかったので、ずるずると無駄な時間を浪費したのではないかと私は考えています。

小さな目標は週・月単位で、何冊の洋書を読むとか、同通の練習と振り返りを何本するかというレベルの目標です。大きな目標は年単位で、たとえばボランティアでもよいので年間三〇件の通訳を経験するとか、二年以内にプロデビューするなどです。

「プロの通訳者は語る 1」で登場した白倉淳一さんは、仕事を辞めて通訳者を目指しました。貯金を切り崩しながら通訳学校に通っていたので、「二年半で通訳者の名刺を持って現場デビュー」を目標にして、達成できなければ諦めて別の仕事を探す覚悟だったそうです。結果は、二年でのデビューでした。

**小さな目標でも大きな目標でも、大事なのは数値化すること**です。数値化できないと結果が検証できないからです。「もっとうまくなる」という目標ではあまりに抽象的です。「卒業する」や「昇級する」だったら、いつまでに達成するかを明らかにしなければなりません。そして一度目標を設定したら、不退転の覚悟で前進するのみです。学生仲間と目標を共有すれば、さらに目標達成へのモチベーションが上がるでしょう。

この程度のプレッシャーを怖がるようでは、しょせんプロの通訳者にはなれません。

# 5 フリーランスの通訳者になる方法

## ▼エージェントに登録しよう、でもその前に

学校で学んだ後は、インハウス通訳者として就職する人もいれば、エージェントにフリーランス登録して活動を開始する人もいるでしょう。進む先はさまざまですが、ここではフリーランス通訳者になる道を解説したいと思います。

というのは、エージェントの専属通訳者になるには、通訳学校で実力を認められる以外のルートは考えにくいですし、インハウスとしての就職を希望するのであれば、ネットの求人サイトで一定の情報は獲得できるからです。それにエージェント登録したあとに、企業にインハウスとして派遣されることもあります。

ここで紹介するのはフリーランス志望者向けですが、インハウス志望者も参考にできる

内容です。

フリーランスの第一歩は、エージェントに自分の経歴や実績などのプロフィールを登録することから始まります。中には「経験不問！　即登録可！」と大々的に宣伝している会社もあるようですが、まともなエージェントは経験者にしか登録を認めません。

今すぐ使える通訳者を派遣するのが仕事なので、エージェントに人材育成などする余裕はないのです。即戦力が大前提、あとは実績や得意分野などでレート（通訳者の報酬レベル）が決定されます。

その前に、インハウスからフリーランスに転身しようと考えている方へ一言。先にも書きましたが、エージェントはあなたのインハウスでの実績をあまり重視しません。その理由は、インハウスとフリーランスでは、仕事の環境が大きく違うからです。

インハウスは、関係者とすでに信頼関係が構築されている中で、主に一つの分野を扱い、資料などの入手も比較的容易という恵まれた環境で仕事をしています。それに対しフリーランスは、毎日のように異なる分野を扱う上に、現場では初めて会う人がほとんどです。資料が全部入手できない案件もあるので（通訳会社がいくらプッシュしても出さないクライアントもいます）、フリーランスには通訳としての能力だけでなく、柔軟性や顧客対応能力、さらにメンタルの強さまで求められます。

通訳者の手配を担当するコーディネーターは、フリーランス経験がある通訳者を優先し、未経験者は「軽め」の案件で試すのが一般的です。金融系の会社で一〇年インハウスとして働いたのであれば、金融系の仕事はすぐに任せられるかもしれませんが、それ以外の分野でいきなり大きな会議を任されることはあまりないでしょう。

## ▼職務経歴書の書き方

ネットで「通訳者登録」と検索すれば、通訳者を募集しているエージェントが山のようにヒットします。また、毎年春頃に出版される年度版の『通訳者・翻訳者になる本』（イカロス出版）の巻末には、全国の通訳会社リストが掲載されています。各社の取扱言語や応募条件、需要の高い分野・仕事など、役に立つ情報が満載なので、参考にするのもよいでしょう。

エージェントが決まったら、最初に「職務経歴書（通訳実績表）」を提出します。書き方の注意点を紹介します。次ページのサンプルをご覧ください。

氏名：佐々木祐助
生年月日：1970年1月1日（50歳）
住所：東京都千代田区九段北4-2-6
電話：03-××××-△△△△
メール：yusuke@fakemail.com

【学歴】
1988年4月　大東京大学文学部哲学科入学
1992年3月　同校卒業
1992年9月　豪キングスランド大学修士課程　通訳・翻訳学専攻
1994年4月　同校修了

【職歴】
1994年5月　スネークリバー証券福岡支店に証券アナリストとして入社。主に日本株と米国株を製造業中心に担当。

1997年3月　同社退職
1997年4月　ライスフィールド・アセットマネジメント社にアナリスト兼通訳者として入社。社長を含む取締役の通訳および社内文書の翻訳を担当。IT分野のアナリストレポートも作成
2018年2月　同社を退職し、フリーランス通訳者として活動開始

【通訳実績】
2018年6月　世界アセットマネジメントフォーラム（同通、シンガポール）
2019年4月　平成証券投資サミット（同通）　・中国株にフォーカス
2019年10月　StartUpピッチナイト（逐次）　・主にドローン技術
2020年1月　モバイルテック東京（同通）

【通訳訓練】
1996年4月　ミドルウェル通訳学校会議通訳科に入学
1999年3月　同校修了

【資格】
2002年10月　ファイナンシャル・プランナー（CFP）
2006年11月　第1種放射線取扱主任者

【得意分野】
金融分野に加えて、eスポーツ（特に格闘ゲーム）と放射線科学に強い。

**①生年月日と年齢**

生年月日を記載しない人もいるようですが、案件によってはクライアントが若い人を求めたり（地方の工場視察など、移動が多い体力重視の案件など）、その逆に年配の人を求めたりする場合もあります（社長の年齢とのバランスを合わせるためなど）。実績表に記載しなくても面接で必ず聞かれるので、書いておいたほうがよいでしょう。

**②写真**

これは必須ではありません。私はルックスに自信があるわけではないので、求められない限りは貼りません（笑）。女性通訳者の中には二〇年以上前に撮った写真を使用する方もいると聞いたことがありますが、そんな小細工をするくらいなら最初から貼らないほうがよいでしょう。

**③学歴**

大学卒であれば学歴はあまり重要ではありませんが、大学院で通訳・翻訳関係の勉強をした経験や、海外留学の経験などがあれば記載すべきです。

**④職歴**

職歴でアピールしたいのはずばり**「専門性」と「通訳経験」**です。金融やＩＴ、法務や医療など、業界知識があることを証明できるような内容を盛り込んでください。

**⑤通訳実績**

もし、フリーランスとして有償案件の実績がある場合や、ボランティアでも国際的に有名なイベントでの通訳経験がある場合は、逐次・同通の情報を含めて記載しましょう。過去三年分の記載が理想的です。会議名や内容はできるだけ具体的に書かないと参考情報として価値がありません。ただし秘密保持契約には抵触しないように。

**⑥通訳訓練**

通訳学校で専門的訓練を受けた場合は、受講・修了したコース名も含めて記入しましょう。面接担当者がその学校で教えている通訳者を知っている場合、話題にするかもしれません。

### ⑦資格

個人的には、英検やＴＯＥＩＣの成績はそこまで価値がないと思います。現実に資格があってもまったく役に立たない通訳者がいますし、それはエージェントも十分に理解しています。ただし専門性をアピールできる資格があれば必ず記入しましょう。行政書士の資格を持っていれば法律用語には詳しいとわかりますし、ＦＰ（ファイナンシャルプランナー）の資格があれば、金融系の案件で試してみようかと担当者が思うかもしれません。

### ⑧得意分野

職歴と通訳実績の欄でアピールできているはずですが、補足すべき点があればここで。いま勉強中で、今後案件を増やしていきたい分野を書くのもよいかもしれません。エージェントによっては、他の通訳者の手配がつかない繁忙期などに、経験が乏しくても通訳者の素質とやる気を信じて試してくれることもあるからです。

## すでにフリーランス経験のある人に一言

④の職歴のところでも「専門性」と「通訳経験」をアピールするべきだと書きましたが、これは特に企業での社内会議の同通が多い、駆け出し時代に意識したい点です。中堅以上になると、国際会議や政府系シンポジウムなど、名前のある会議が増えてきますので、その実績をどんどん追加していきましょう。先にも書いたとおり、**大手の通訳会社の中には、政府系の実績を重視するところもあります。**

政府高官、特に事務次官や大臣級が参加する会議を実績として多数持っている人は、高い通訳技術は当然として、人となりもある程度好意的に判断されます。政府系の大きな国際会議ともなると、「過去三年間に大臣級の国際会議を五件経験」などの通訳選定基準が設けられるので、その実績は大きな財産です。

政府系以外でも、**一部上場企業やグローバル企業が主催する民間の大型会議の経験があれば、言及すべき**です。社内会議よりは実績表に箔が付きます。

なお、フリーランスとして活動を開始したら、**実績表は英語でも作成することをお勧めします。**海外のクライアントやエージェントと取引をする際に必要になるからです。海外クライアントとの取引は、仕事ポートフォリオの多様化という意味でも大きな価値があります。

## 意外に大きい「紹介者」の存在

書類選考を通過すると、次は面接になります。英日と日英の通訳テストを含め（テストがない通訳会社もある）、六〇分～七五分程度の面接を行うことが多いようです。この時に重要なのが、「紹介者」の有無です。

エージェントが面接対象者を判断する大きな要素は、その人の現在の能力です。過去に立派な実績を持っていても、その後技術を磨き続けておらず、今では能力がすっかり落ちてしまったという人もいますから、実績表は必ずしも採用の決定打になりません。

それよりも、**最前線で活躍しているプロの意見は、信頼に値する大きな評価基準となる**のです。特にそのエージェントに所属しているベテラン通訳者の紹介があれば、登録時の初期レートも高めに設定され、すぐにレベルが高い仕事を振られる可能性も高くなるでしょう。

通訳者の「現場力」は現場でしか評価できないと言っても過言ではありません。通訳者は関東圏だけで何百人といますが、本当に優秀な通訳者は常に不足気味なのです。

余談ですが、私は個人的に親しい付き合いがあるエージェントには、優れた通訳技術があって顧客対応が優れている通訳仲間を積極的に紹介しています。エージェントには感謝されますし、返報性の原理で通訳仲間から仕事を紹介されることも増えます。実際に、仲間からの紹介がきっかけでお得意様になったクライアントも複数あります。
ビジネスでは人間関係が大切です。紹介する通訳者は自分の仕事を安心して任せられるような人に限りましょう。通訳者がヘマをしたら、紹介者であるあなたの信用が損なわれるのですから。

## 必勝！　面接でのフリートーク法

面接の仕方は各社異なります。私の経験では、担当社員一人だけということもありました し、役員とスタッフ五人（！）で「包囲」しにきた会社もありました。試験を実施せず、実績表と面接の評価だけで採用を決定するエージェントもあります。いずれにせよ面接で評価されるのは、通訳者の「人柄」です。

**現場に派遣される通訳者は、いわばエージェントの看板を背負った営業マン。**それゆえ通訳スキルはもとより、現場での顧客ニーズに柔軟に対応できるか、コーディネーターが一緒に仕事をしやすいタイプか、などが評価されます。

わずか一五分～二〇分程度で、その人の人柄がわかるのかと思うこともありますが、面接を受ける人はみんな同じ条件です。与えられた時間内で好印象を残すために、以下の三つをぜひ実践してください。

**①視線と相槌**

視線は七～八割ほど聞き手に合わせて、相手の話に集中し、時々相槌を打つようにしましょう。人は誰でも周りから認められたい欲求を持っています。自分の話に「そうなんですね」「それは参考になります」と反応する人をなかなか嫌いにはなれません。相手がとても大事なことを話したときは、「確かに、〇〇〇なんですね」と内容を繰り返すと、共感を示せますし、きちんと話を聞いていると印象付けられます。

## ②専門性をアピール

「なんでも器用にできる通訳者」は重宝されます。しかし登録時には何か一つ尖ったPRポイントがないと、印象に残らずに埋もれてしまうこともあります。

たとえば私の専門は法務ですが、面接では、「法務、特に特許侵害や米国反トラスト法関係の案件が多いです。ここ数年で担当したケースでは、A社の半導体特許侵害訴訟や、自動車部品カルテル訴訟などがありますね。おかげでワイヤーハーネスなど自動車部品にも詳しくなりました」などと自ら詳しい情報を提供して、「すでにその分野にどっぷり浸かっている」事実をアピールします。

事前にそのエージェントやメインのクライアントが求めている分野を調べておいて、そこを突くのもよいでしょう。たとえばB社が業界誌でニーズのある分野として軍事を挙げていたら、実績表で軍事案件を強調し、面接でその点を重点的に語るのも効果的です。

### ③自分から質問する

面接は一方的に話を聞く場ではありません。自ら質問をしたり、話題を振ったりすることで対話が成り立ち、通訳者としての自分をさらにアピールするチャンスにつながります。

私はゲーマーなのでゲーム関係の仕事が大好きなのですが、相手がゲーム関係の実績について質問してこない場合は、自分から「そちらではゲーム関係の案件は扱っていますか？　エンタメはいかがですか？」と聞くようにしています。相手の答えがイエスでもノーでも、そこから自分のゲーム愛と実績について語ることができるからです。

以上の三点に加えて、個人的なこだわりとしては、担当者との握手があります。面接だけでなく、現場で打ち合わせをする時も、講演者と握手するようにしています。

これはそもそもスキンシップを大事にしていることもありますが、私のことを相手に覚えてもらうための差別化でもあります。普通の通訳者は握手をしませんから。担当者に「なんか面白い人だねえ」と思われたら、こちらの勝ちです！

## 負け戦前提の通訳テストだが……

面接の次に待っているのが、「通訳テスト」です。

**通訳テストは逐次通訳が一般的**です。日英・英日の両方向をそれぞれ一〇分～一五分程度行います。

ほとんどのエージェントは事前に情報や資料を提供しません。担当者が原文の音声を流し、適当な部分で止めて訳出を求めます。ぶっつけで反応して訳さなければいけない分、実際の現場より環境的に厳しいのですが、エージェントとしては準備ゼロでどこまでやれるのか、通訳者の基礎知識と能力を試したいという意図があるのかもしれません。

この通訳テストは**前提として「負け戦」**だと理解してください。経済なのか公衆衛生なのか、分野さえわからない状況でテストをしても、完璧に訳すのは困難です。

その上で次の五点に注意して臨みましょう。

### ①速度より正確性

テストでは、訳出の速度やテンポよりも正確性を重視してください。事前準備ゼロのテストといえども、たかだか一〇分程度で大きな誤訳や訳抜けをするようでは、エージェントの信頼を得ることはできません。中でも**数字と固有名詞は要注意。また日本人通訳者に多いミスが英語の時制関係です。**

適切な訳がすぐに浮かんでも、最初から猛スピードで訳さず、一定のペースを維持するように意識しましょう。最初から飛ばし過ぎると、後で訳出に苦しんで速度が落ちたときに日立ち、そのギャップが悪印象になります（同じ意味で、日英と英日の速度も同じ程度が理想的）。

原文が終わった直後に間髪入れずに訳し始める必要はありませんが、あまり時間を空けすぎるのも問題です。参考までに、米国連邦裁判所の認定法廷通訳人試験では、話者の発言終了から三秒以内に訳し始めないと減点対象になります。というか、現場の三秒は結構長いですよ！

### ②主体と場所、出来事の順序を間違えない

次の英文を訳しながら、主体や場所、出来事の順序についてポイントを押さえてみましょう。

I arrived home and I put my keys on the table, and then I went to the kitchen and prepared a sandwich while Rose sipped a coffee by the sink, then I went to the living room to watch TV with Steve.

ここでの話者の行動順は、「帰宅↓テーブルに鍵を置く↓キッチンへ↓サンドイッチを作る↓リビングでテレビを観る」です。しかし、うっかりしていると「帰宅↓キッチンへ

→テーブルに鍵を置く」となって、鍵を置くテーブルが、原文にあるテーブルと違うという誤訳になってしまいます。

このような場所や順序のミスを、経済学者の講演や技術者向けのワークショップですると、失業率上昇の理由がすり替わったり、技術者が装置の操作方法を間違ったりしてしまいます。

また、**「どの主体が何をしたか」も重要**です。原文では話者以外に「シンクの脇でコーヒーをすすっているローズ」と、「リビングでテレビを観ているスティーブ」がいます。注意して聞いていないと、sinkの印象に流されて「ローズがシンクでコーヒーカップを洗っていた」とか、そもそもsinkを聞き逃して「ローズがコーヒーをすすっていた」になってしまいます。あるいは、ローズとスティーブの位置と行動が完全に入れ替わってしまうこともあり得るので、「誰がどこで何をしたか」には注意してください。

### ③評価されるのは「最後に口にした訳」

適切な表現が見つからなかったり、情報整理が追い付かなかったりすると、訳文が稚拙になって、必要な情報が入っているのに理解しにくい文章になってしまう場合があります。そんな時は、**自分が正しいと信じる訳を文章の最後に付け加えましょう。**

それ以前の不完全な訳が帳消しになるわけではありませんが、末尾でしっかりまとめると、苦しみながらも「原文を正しく理解していた」とアピールできますし、ピークエンドの法則で好印象を残せます。評価者は最後に出た訳で判定を下しがちです。

### ④難しい概念は「最寄りの訳」でさばく

テストには通常一つか二つ、即座には訳しにくい概念が登場します。これは知識にない表現をどう訳すか、現場でのサプライズをどう柔軟にさばけるか、という通訳者に必須のスキルを試すのが目的です。

訳しにくい表現に直面したら、**ぎこちない直訳を出すよりも、言葉の意味を捉えた訳出**

**をする方が効果的**です。

たとえば、ある現場で一緒になった通訳者さんは、日本語の「虎の巻」をCliffsNotesと英訳していました。「講義などのタネ本」「教科書の解説書」などと表現することはできますが、CliffsNotesという、学生時代を北米で過ごした人であれば誰でもすぐわかる具体的なイメージを投影することで、外国人クライアントを納得させたのです。

そういえば私も、高校時代のシェイクスピア関連の宿題は全部CliffsNotesのお世話になりました。原著を読む暇があったら遊んでいましたからね……。

また、シンプルな単語なのに、訳語をど忘れして思い出せないときがあります。そんなときは、無理に時間をかけてひねり出そうとせずに、「最寄りの訳」で処理しましょう。

前述の例でいえば、「シンクの脇でコーヒーをすすっているローズ」が正解ですが、「キッチンでコーヒーを飲んでいるローズ」または「シンクの脇で飲み物をすすっているローズ」でもぎりぎりセーフかもしれません。ただし、シンクという場所、コーヒーという飲み物に特別な情報価値があれば成立しませんが！

## ⑤原文を繰り返してもらってもよい

テスト中の原文の聞き返しを禁じているエージェントはあまりありません。とても大事な部分を聞き逃してしまったら、潔く「今の所をもう一度お願いできますか」とお願いしたほうがよいです。ただし何事も程度問題ですから、何度もお願いしていたら「この通訳者は全然ダメだな」と評価されるのがオチです。個人的な目安としては、一〇分のテストであれば一回限りのライフラインだと考えて使うことを勧めます。

通訳テストは短時間で判断されますし、しかもぶっつけ本番なので、簡単ではありません。**「通訳テストが一番難しい現場だった」と言うプロもいます。**私自身もさまざまな難しい案件を経験してきましたが、通訳テストは正直なところ苦手です。学生時代の抜き打ちテストのような感覚かもしれません。

エージェントによっては、このテストで通訳者の度胸を評価するところもあります。ある人はテストの一文がどうしても理解できず、たまらずに「パス！」と言って評価者を驚かせたそうです。その人が今どうしているかというと、ベテランの通訳者として第一線で活躍しているのですから、人生なにが起きるかわかりません。

## テストに受かったら、または落ちたら

無事にテストに合格し、レートなどの基本条件に合意したら、あとは現場に出て結果を残すのみです。特に**登録直後の数回のオファーはとても大事。**最初にしっかり結果を残せなければ、即戦力として印象付けられず、いずれ忘れられていくでしょう。

「結果を残す」というのは、クライアントが唸るような素晴らしい訳を連発するということではありません（それができれば最高ですが）。**プロとして当たり前の仕事を当たり前にこなす**、つまり時間通りに現場に到着して担当者に挨拶し、必要に応じて当日の段取

りを確認し、コミュニケーションの核心部分を外さない的確な訳をテンポよく出し、終了したらブースをきれいに片付け、担当者に挨拶して帰る、それだけです。

テストに合格したのにオファーが来ない場合は、適切な案件がない、またはコーディネーターの退社などによりエージェントに忘れられているケースが考えられます。秋の繁忙期に一件もオファーがなければ忘れられている可能性が高いので、繁忙期が落ち着く十二月中旬や年明けのタイミングで「実績表の更新版」を送付するのも一つのアイデアです。一部の大手エージェントは年末年始に「実績表の更新版」を求めてくるので、そのタイミングに合わせて送るのです。

スポーツの世界には“the best ability is availability”という言葉があります。優れたアスリートでも、出場できなければ価値はありません。通訳者も同じで、どんなに通訳がうまくても、仕事を受けない状態が続けば、エージェントは依頼しなくなります。ですから、新規登録したエージェントの仕事は優先対応できるように、スケジュールに余裕をもたせておくのが大事です。どうしても断らなければならない場合は、次のオファーにつながるような丁重なお断りメールを書きましょう。向こう二カ月のスケジュールを共有して、積極性をアピールしてもよいかもしれません。

逆に**テストに落ちたら……ですが、素直に自分の力不足を自己分析する**べきです。テストの題材との相性が悪かったといえばそれまでですが、ひとたび現場に出ると相性の悪いトピックでも訳さなければなりません。私の場合、自分が得意とする法務（主に米国法）の案件を受けたら、実はノルウェーの国内法の話だった、という冗談みたいな展開も過去にはありました。

**通訳テストは「通訳者が戦力になるか」を見定めるシビアなプロセス**ですので、三社受けて全部不合格だったら、相性を言い訳にはできません。単純にもっと勉強するべきです。

# 先輩通訳者からのメッセージ 1

## 平山敦子さん

フリーランスの会議通訳者。得意分野はIT、司法、金融、自動車、モータースポーツなど。八歳から三年弱をアメリカで過ごし、中学・高校時代はホームステイや英会話学校、ラジオ講座などで英語力の維持に努めていた。大学時代のアルバイトで「通訳もどき」の仕事をしたのをきっかけに、大学卒業後も通訳の仕事を続け、今日に至る。五年ほど日本で働いたのち渡英し、イギリスでもフリーランス通訳者として七年半活動。その後、約二年間日欧を往復する日々を経て、現在は東京に完全に拠点を移す。

通訳業界では無類のガジェット知識を誇る平山敦子さん。あまりにも博識なのでそちらにばかり注目が集まりますが、実は顧客対応やミスの傾向分析など、地味だけれどもプロとして重要な部分をしっかり意識して仕事をしています。
一つひとつの行動には意味がある。いまでもさらなる高みを目指して試行錯誤を続ける平山さんの言葉からは、それを強く感じます。

## ✦きっかけはアルバイト

大学生の時に英語を使うアルバイトをしていて、たまたまプロの通訳者の仕事を垣間見る機会に恵まれました。ウィスパリングはもちろん、何分間にもわたるスピーチを一字一句落とさず、数字や契約書の文言まで漏らさず訳しているのを見て、「すごい！　こんなふうになりたい！」と思ったのが通訳の道を歩むようになったきっかけです。

卒業後も就職せず、アルバイトの延長線として通訳の仕事を続けました。最初は自己流でやっていましたが、限界を感じて学校に通うことにしました。スポーツに例えると、実際の仕事が試合なら、学校で教わる訓練法はまさに筋トレ。自分が試合で活躍するために必要なものだと感じました。

日本の通訳学校の学習法は、海外経験の有無に関わらず「地頭が良くて努力家」の人たちを対象に、三、四年かけて、通訳の実戦に耐えうるところまで効率よく養成することを目的として編み出されたメソッドだと個人的には思っています。

私は英語を日本語に訳すとき、まず「英語の人」として理解し、それを「日本語の人」として表現するように心がけているのですが、瞬時の判断を要する同時通訳ではそうもいきません。そんな時に、辞書的な訳語をうまく組み合わせてタイムリーに訳出し、それに微修正を加えつつ精度を高めていくという、学校で教わったテクニックが非常に役に立ちました。

私はアルバイトからフリーランスへの線引きが曖昧で、通訳者としてのデビューがいつだったのか、自分でもよくわかりません。失うものはない状態から、昨日より今日、今日より明日をよくしようと無我夢中で、恐れはありませんでした。しかし、企業の正社員として身分や収入も保証されている人が、そこから飛び出してゼロからスタートするなら慎重になって然るべきでしょう。

とはいえ、完璧を目指し過ぎては次の一歩が踏み出せません。実際に通訳学校では、長年通っていても「まだまだ自分は無理」と言う人に数多く出会いました。謙虚な姿勢や努力は必要ですが、自分で「もう大丈夫」と思えるときなんて、待っていても永遠に来ないのかなとも思います。

## ✦プロとして心がけていること

通訳パフォーマンス以外で心がけているのは、仕事のメールへの返信をとにかく早くすることですね。

ある時、外国人の知人に「日本で会議をするから通訳者を五人集めてくれ」と頼まれ、通訳仲間四人に声をかけたことがあります。これまでにもお客様に仲間を紹介することはありましたが、一度に四人は初めてでした。全員に一斉メールをすると、すぐ返信をくれる人、何日も放置する人など反応はさまざまで、通訳者として一緒に働いているだけでは見えてこない違いがありました。

そのとき初めて「エージェントは通訳者をこんなふうに見ているんだ」と気付いたんです。派遣する側にしてみれば、私との調整なんてさっさと終わらせて、次の仕事に移りたいわけですよ（笑）。

このような経験から、私自身、より早くメールの返信をするようになりました。すると、エージェントにとっての新規案件や、まず人を手配するのが最優先の案件であれば、真っ先に私に声がかかるようになり、問い合わせ数が三割ほど増えました。すべてのオファーを受けることはできませんが、選択肢は増えましたね。

メールを素早く返信するための工夫もしています。たとえば、私の場合はメールアプリに定型文を用意し、ワンタッチで「空いておりますので対応可能です」「申し訳ありませんが先約がございます」などのように、丁寧な文章を送れるようにしています。こうしておけば、通訳の真っ最中でもない限り、返信に五秒とかかりません(笑)。通訳料金やキャンセル料などの諸条件も何パターンか作ってクラウドに保存してあり、新規のお客様にはそのリンクを送っています。

スケジューリングは、基本的にはオファーが来た順に入れています。昔はテトリスのように、「ここにうまくはまった!」なんて喜んでいた時期もありました。今は、特に繁忙期には、体調を崩したり資料が届かなかったりなどの不測の事態に備えて、あまり詰め込みすぎないようにしていますね。

準備の負荷がどれくらいかも、スケジュールを入れていく際の重要な判断材料になります。担当する講演数が同じでも、国際会議など、産・官・学の全く異なる立場の演者が集結し、渾身の「一発」を披露する場と、企業セミナーのように同じ会社の製品や技術を一日かけて紹介していく場とでは、準備の負荷が全く変わってきます。

レートについては、ある通訳会社で価格交渉が成功したからといって、別の通訳会社にも値上げ交渉をしようとは思いません。いろんな価格帯があったほうが、景気の変動に強いと思いますし、草の根的な商談から大きな国際会議まで、さまざまな仕事が回ってきます。トータルの収入をキープしつつバラエティ豊かな仕事を引き受けるほうが、やっていて面白いと思っています。

## 仕事を通して発見と喜びを

以前の私は、「今日の仕事はうまくいったか」ということだけに一喜一憂していました。しかしあるときから、自分の苦手分野を客観的に分析するようになり、自分はいわゆる大部屋での生耳通訳で苦戦するということに気付いたのです。

イヤホンやスピーカーからの音声なら、多少のノイズや話者の訛りなどがあっても大丈夫なのに、がやがやと周りの騒音がある中で直接耳で聞いていると、離れたところにいる人の声が聴き取れないことがあるのです。耳というより、脳がうまく処理できていないのかなと思ったりもします。

通常の通訳で支障はないのですが、このまま放置するわけにもいかないので、何かよい方法はないか模索していました。

ある日の現場で、通訳者の声をお客様に聞かせるための簡易通訳機が余っていたので、試しに発表者の前に置かせてもらい、受信機でその声を聞いてみたところ、とてもクリアに聞こえて驚きました。それ以来、生耳通訳の依頼では交渉して、簡易通訳機をスピーカーの前や部屋の真ん中に置かせてもらうようにしています。

また、いろんなマイクを買ってきては、自前のパナガイドに挿して、家でテレビの音声を拾って実験するなど、試行錯誤を続けてきた甲斐があり、おかげさまで私が紹介するマイクはパートナー通訳者からも好評で、品番を控えて帰る人も結構います（笑）。訳出に専念できるから疲労も少なく、全体的な訳のクオリティも上がり、結果的にお客様からも高評価を頂けるようです。

もともと自分の苦手を発見して克服しようというところから始まったのですが、結果的に多くの関係者に喜んでいただけています。日々発見ですね。

通訳はいろんな物事を深く裏側まで知ることができる仕事だと思います。日々の準備が忙しいと、もらった資料だけ見て用語集を作って終わり、となりがちですが、一歩踏み込むことが大事です。仕事で取り扱うのは氷山の一角ですが、全体を見るような意識を持って経験を積んでいくと、仕事と仕事がつながりあって一つの世界を作っているという感覚を得られて、ますます面白くなっていきます。

この世の真理というか、そういうものに迫れるようなチャンスがある稀有な仕事だと思うので、せっかくやるのであればそのような発見や喜びを見つけてほしいと思います。

# 第3章

# 実況中継！ 通訳の現場から

# 1 現場へ行く前にすべきこと

## ▼スタートラインに立ったあなたに仕事の依頼が来た

通訳の仕事では、実際には何を、どのようにすればよいのか。本章では、**現場入りする前の準備から終了後の報告までの仕事の流れや現場での状況、そして通訳者が知っておくべきマナーなどを伝えます。**

誰でも初めての現場は緊張するものです。私もデビュー日の前の晩はほとんど眠れませんでしたし、通訳者仲間に聞いてみても、みんなだいたい似たような経験をしています。デビューするにあたって、本章が少しでも不安の解消になればと思います。なお、ここでは主に同通の現場を扱います。

エージェントの登録手続きが無事に完了して、あなたはようやくスタートラインに立ちました。本当の仕事はここから始まります。

最初に、あなたはエージェントで通訳者の手配を担当するコーディネーターから、自分の適性・経験にマッチした案件のオファーメールを受け取ります。

仕事のオファーは、緊急の場合を別にして、効率的で正確な記録保存ができるメールで届くのが一般的です。かれこれ10年以上も私とやり取りをしているのにもかかわらず、これまで一度も本人の声を聞いたことがないコーディネーターもいます。

メールには①日時、②場所、③クライアント、④通訳形態（同通／逐次／ウィスパーかなど）、⑤同通の場合は通訳者の人数（二人あるいは三人体制など）やブースのタイプ（フルスペック／簡易ブース／生耳パナガイドなど）を含む基本情報、などが記載されています。一七三ページのオファーメールの例も参照して下さい。

もし、不足している情報があれば、きちんと確認しましょう。同通といっても、フルスペック三人体制と生耳パナガイド二人体制では、仕事環境に天と地ほどの差がありますから。

オファーに対し「対応可能」と返事をすると、「仮予約」という扱いになります。仮予約となった通訳者は、業界の慣習として対象日時をこの案件のために空けておかなければなりません（他のオファーがきても断るか、まずエージェントに相談すること）。

From : w-sasaki@abct.co.jp
To : info@XXXXX.co.jp
Subject : ABC通訳より：新規仮案件【マーケティング】
Date : 9月20日

関根　マイク様

お世話になっております。株式会社ABC通訳の佐々木です。
新規仮案件のご相談でご連絡させて頂きました。ご都合いかがでしょうか。

※大変混み合っている日程のため、他の方々にも同時にお声掛けさせていただいております。予めご了承下さいませ。

---

【クライアント】スネークリバー・インダストリーズ
【日時】10/22（月）10:00～17:00（延長の可能性あり）
【集合】9:45
【場所】スネークリバー・インダストリーズ本社
〒102-0073　東京都千代田区九段北4-2-6
市ヶ谷ビル2F
【内容】第29回このマーケティングがすごい！サミット
【形態】日⇔英　同通（ブースあり）3名体制
【資料】10/17（水）に提供予定
【お支払い】終日料金＋二次使用料（半日料金）
※YouTubeへの配信あり
【ステータス】仮案件

---

お忙しい中、大変恐縮ではございますが、お手すきの際に対応可否のご連絡を頂けましたら幸いです。何卒よろしくお願い申し上げます。

株式会社ABC通訳　佐々木

## トップか、しんがりか

案件が確定すると、クライアントやコーディネーターから当日の時間と場所（地図が添付されていることもある）を知らせてきます。海外エージェントには、ホテルやビルの名称だけ伝えてくるところもありますが、詳しい住所を必ず事前に確認しましょう。

以前私が請け負った仕事で、前日の晩にクライアントから「明日はNew Otani in Tokyoに集合」と連絡が来たことがありました。しかし紀尾井町の「ホテルニューオータニ（The New Otani）」なのか、それとも品川の「ニューオータニイン東京（New Otani Inn Tokyo）」なのかわからなくて、困ったことがあります。

また、その他の確認事項として「登壇者名簿」、「登壇者の肩書き（理想的には日本語と英語で）」、それに「発表言語」があります。

今はグローバルに活動する研究者やビジネスリーダーが増えているので、日本人だから日本語で発表するだろうと決めつけるのは危険です。日本語の想定で準備をしていたのにいきなり英語で話されると、発表内容を理解していてもなかなか頭が切り替えられないものです。

それと、エージェントから当日の「担当表」も送られてくることがあります。同通の場合、複数の通訳者が交替しながら通訳を行うのですが、そのメンバーと順番を書いたリストのことを「担当表」と呼びます。

たとえば持ち時間で分担する場合、担当表には「A：佐藤、B：鈴木、C：田中」などと書かれています。最初に佐藤さんが同通を行い、鈴木さん、田中さんと引き継いでいくことになりますが、多くの場合、これは順番だけでなく、エージェントの通訳への評価順と解釈してもよいでしょう。つまりエージェントは佐藤さんをもっとも信頼しているということです。

その理由は、**トップバッターに安定感がある人を起用し、案件を確実な形でスタートするとともに、もっとも能力のある人の通訳回数を最大化する**ためです。ただ中堅でも対象トピックの経験が豊富であれば、先輩通訳者よりも先に登場することもあります。

このようにエージェントが順番を指定することもあれば、通訳者に任される場合もあります。

その場合は現地で通訳者が話し合ったり、じゃんけんしたり、あるいはあみだくじをしたりして順番を決めますが、この場合、新人にとってはある意味チャンスになります。

通訳は頭脳と肉体を酷使する労働ですから、「私にもっと担当させてください」と強く主張する通訳者はあまりいません。だから新人が率先して手を挙げ、「私が多めにやります」と言っても、それで怒るベテランはいませんし、むしろ頼もしく思ってくれるかもしれません。ベテランのサポートを得ながら多めにやれば、経験も積めるというメリットもあります。

ただし、たとえば一週間続くイベントの三日目から入る場合などは、初日から入ってい

る通訳者に先を任せて、自分は最後に回るのが賢明です。前日を経験していない通訳者は、これまでの話の展開が読めませんから、まずは現場の流れに慣れることが大事です。これは業界の常識でもあるので、初日から入っている通訳者も拒否はしないはずです。

## 手元に資料が届いたら

案件の確定とともに、クライアントやコーディネーターから資料が届き始めます。クライアントが海外企業の場合は、データで送られてくることもあります。大型案件になると、直前にバイク便で資料が次々と届きますので、これから引っ越しを考えている通訳者は、必ず大きな郵便受けや宅配ボックスがある物件を探しましょう。

当日の発表スライド（パワーポイント、キーノートなど）や印刷資料などが届いたら、まず担当分の資料がすべて揃っているかを確認しましょう。講演者ノート（講演者が喋る内容の要点メモのこと。読み上げ原稿をここに挿入する講演者もいる。一七八ページの画

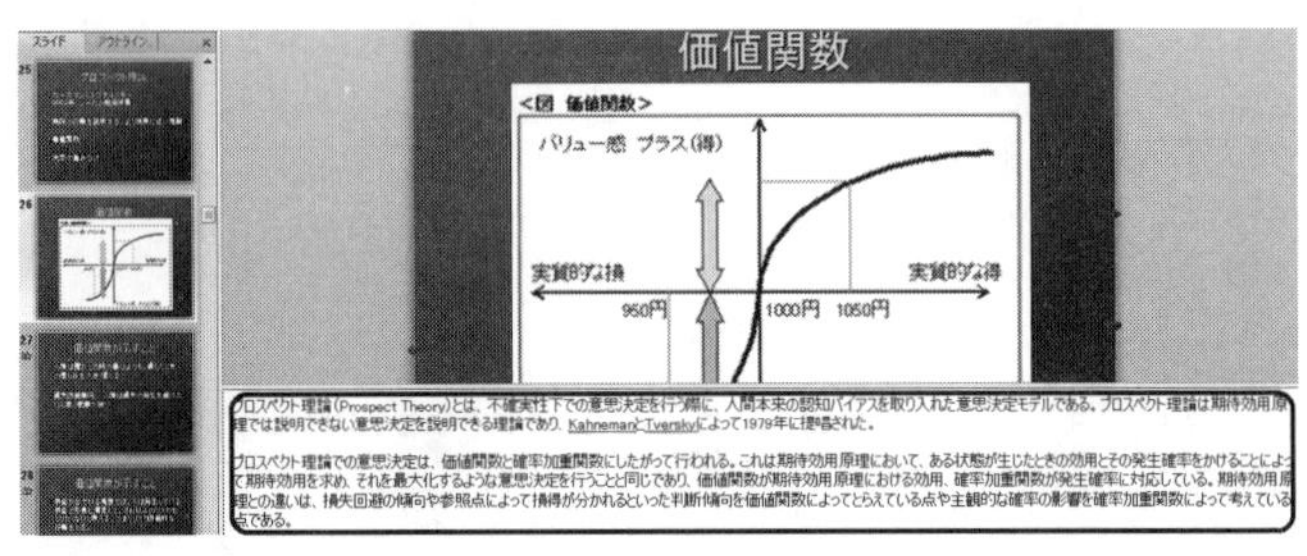

講演者ノートの例（著者が業界イベントで講演した際の資料）

像参照）がスライドに含まれていない場合は、コーディネーターに連絡します。これが手元にあるかないかでは、通訳のパフォーマンスが全然違ってきます。

資料がPDF形式で届いている場合、オリジナルのファイルに講演者ノートがあっても反映されないことがありますので、オリジナルのファイルを送ってもらうよう、連絡します。

オリジナルのファイルを確認する理由は、講演者ノートの確認以外にもあります。

資料は基本的に白黒印刷ですから、カラフルなグラフなどはファイルを確認する必要があります。加えて、紙の資料だけ読むとわからないのですが、ファイルを確認するとアニ

メーションがあったりします。アニメーションが挿入されているファイルは、印刷するとすべての文字が紙に反映されないことがあるので要注意です。資料に動画ファイルがある場合は、通訳が必要かも確認しておきましょう。

届いた資料は細かく読み込みます。難解な表現には「ベタ訳」を付けてもよいでしょう。ベタ訳とは、ラフな翻訳のことを指します（どの程度まで翻訳するかは人それぞれ）。私自身、まだ通訳技術に自信がないときは、資料にかなりベタ訳をつけていました。この際、理解しにくい言葉や専門用語は、ネットなどで調べておきます。それとともに、専門用語の用語集（対訳表、単語帳とも）も作成します。用語集は現場で参照するためのものですが、どちらかというと、用語集を作成することで資料の内容が記憶に定着しやすくなるという効果のほうが大きいです。

また、スライド資料に「課題点」が列挙されていたら、それがパネルディスカッションで議論になるケースが少なくありません。クライアントや参加企業などがその課題へどう取り組んでいるか、調べておいたほうが当日の同通がスムーズに進みます。なお、**資料を読むときは、自分が講演者だったらどう話すかをイメージしながら読み進めると、記憶に定着しやすいでしょう。**

**資料を読む時間が限られている場合は、とりあえず結論／まとめのページから読み進めます。**結論さえ理解していれば「最終ゴール」が見えているので、講演中にどんな変化球が飛んできても方向性は見失いませんし、ある程度の見立てがつきます。この見立てができるかできないかが、通訳の質に大きく影響します。

とかく駆け出し時代は、この資料の読み込みにかなり時間を取られます。丁寧な仕事のためにはしょうがないことなのですが、通訳専業で生計を立てていくのであれば、どこかで生産性を意識しなければなりません。一日の仕事のために何日もかけて準備しているようでは効率が悪すぎますし、そもそもそこまで準備しなければならない時点で、仕事の選択を誤っています。

**現実には資料が遅れて届き、全部読めない案件も結構あるので、効率的な時間の使い方、準備方法をいつも意識しなければなりません。**

## ▼イメージトレーニングで事前準備は万全

**資料を読むときには、「講演者がどの部分をメッセージとして発信したいのか」を考えながら読む**ことが大切です。

講演者が本当に言いたいことは発言の中のほんの一部で、それに導入部分や実例、余談などを付け加えて講演が成り立っています。ですから、効率よく準備するには、情報価値が高い内容をしっかり把握した上で、そのメッセージを中心に話がどう展開されるのかを意識すべきです。

**私の場合、時間に余裕がある時は、最初から最後まで自己流の「講演会」をすることもあります。**資料にある情報だけを使い、あたかも自分が講演者であるかのように自作自演で話すのです。

部屋には私一人しかいないので、単なる独り言と言われればそうなのですが、いわゆる「イメージトレーニング」ができるので、よい感覚で本番に臨むことができます。

このイメージトレーニングでやっておきたいのが、**質疑応答のシミュレーション**です。資料の中の「今後の課題」を中心に、事前に質問と回答を調べて想定問答を行うと効果的です。

現場で取り扱われる問題は多種多様ですが、対策が存在しない問題はほとんどありません。複数の対策が存在する中で、どれを選択し何をトレードオフするか（Aを優先したらBが犠牲になるなど）、というのが質疑応答の本質なので、それを事前に調べておけば気持ちに余裕が生まれます。

なお複数の登壇者が議論する**パネルディスカッションの場合は、メンバーの所属組織や専門分野にも注目しましょう。**その中に弁護士がいれば、かならず法規制のトピックが取り上げられますし、商社の調達担当者がいれば、最近の日本向けの貿易トレンドに関して話すかもしれません。

このように、質問はある程度予測できますし、たとえ予測が外れても学習した知識は裏切りません。その現場で使わなくても、別の現場で活用できるときが必ず来ます！

また**インターネットの動画も、事前準備の強い味方です。**クライアントからの資料が不足しているときは、動画で補うことができます。移動の隙間時間に観ることができるので、時間の有効利用ができます。

講演者の中には訛りが強かったり、癖のあるアクセントの英語を話したりする人もいるので、事前に動画を視聴しておけば、当日話が聞き取れなくて慌てることもありません。話者本人の動画でなくても、クライアント企業が扱っている製品やサービスの紹介動画や、前年の講演や会議の動画なども参考になります。

## ▼出張する場合の準備

通訳の仕事はあらゆる場所で発生するので、国内・海外問わず出張が頻繁にあります。

国内出張の場合は、ホテルはエージェントやクライアントが手配するのが普通ですが、現場までの移動手配はエージェントに任せるか、交通費を立て替えて後日精算します。エージェントに任せると乗車時間や便などが決められてしまうので、時間を効率的に使いたい私は、エージェントに申し出た上で、自分で手配しています。

海外出張の際に私が注意しているのは、①ユーロやドル以外の両替は現地でする（為替レートが有利）、②出張先の地図をGoogle Mapでオフライン保存しておく、③よほど長期の案件でない限り、荷物は機内に持ち込める量にまとめる（紛失対策）、などです。

持ち物は必要最小限にして、必要なものがあったら現地で買うようにしています。また、ビザ（査証）が必要な国もあるので、事前に確認し手配しましょう。などと偉そうに書いている私ですが、初めてインドネシアに出張したときはビザが必要だと知らなくて、インドネシアの空港に着いてから相当焦りました。結局、空港内でＶＯＡ（到着ビザ）を取得して事なきを得ました、というかそれが通常の手続きだと知らなかったよ……。

なお、海外エージェントからの依頼の場合、自分で交通機関や宿泊先を手配しなければならないこともあります。ホテルによってはネット回線が不安定なときもあるので、モバイルＷｉ-Ｆｉルーターをレンタルするのもよいでしょう。中国のようにアクセスできるサイトに制限がかかっている国もあるので、出国前に確認しておくことをお勧めします。

## 2 現場に着いたらまずすべきこと

### 服装と身だしなみの注意点

通訳者はどのような服装で現場に行くべきかという問いには、性別にかかわらず、**定番なのは黒系のスーツ（パンツスーツ）**と答えます。

年配の通訳者の中には、服装の色使いが派手気味になったり、服装全体がカジュアルになってきたりする傾向が一部見られますが（取締役会にスマートカジュアルで来た人もいました）、特にデビュー間もない頃は、服装に敏感なクライアントもいることを考慮すると、地味目でスタンダードな服装のほうが無難です。

工場内での通訳では移動があったり、稼働中の機械のそばを通ったりということがある

ので、女性もスカートよりパンツのほうが実用的です。髪の色やスタイル、髭などは、一般的に見て清潔感が感じられればよいと思います。

**通訳を行うブース内は密閉空間ですから、香りが強い香水をするとパートナーに嫌がられます。**ネイルやアクセサリー類もそうですが、ビジネスの現場にふさわしいＴＰＯを意識しましょう。

あと、**靴は意外と重要**です。通訳者は数時間かけて地方の現場に移動することもあれば、展示会のように一日中立ちっぱなしの現場もあります。工場などでは、ヒール禁止の現場もあるので要注意です。靴はデザインよりも実用性を重視して選ぶことを勧めます。もし、長時間の徒歩移動がありそうな現場だったら、思い切ってエージェントに「足への負担が少ない靴を履いてもよいか」と聞くのもいいでしょう。現場に到着したら自分以外はウォーキング仕様の靴を履いていた、なんてこともありますので！

## ▼機材のチェックと必携グッズ

現場へは、エージェントが指定した集合時間に遅れないよう到着しましょう（万一交通機関の事故などで遅れるようでしたら、必ず担当者に早めに連絡するように！）。

現場に着いたらまず、クライアント側の担当者に挨拶し、ブース（または通訳者の座席）に案内してもらいます。

そこではまず、機材や当日の進行プログラムなどをチェックします。クライアントは必ずしも通訳者を使い慣れているわけではないので、いろいろ不備があることもあります。たとえば、通訳者用のマイクが手配されていなかったり、逐次で使うマイクスタンドがなかったり（通訳者は両手を自由に使いたいので、マイクスタンドが必要です）、通訳者の席からスクリーンが見えにくかったり、休憩時間なしの四時間ぶっ通しの会議を想定していたりと、現場に行ってみたらびっくりということはよくあります。変更や追加の手配が

簡易通訳機材のパナガイド

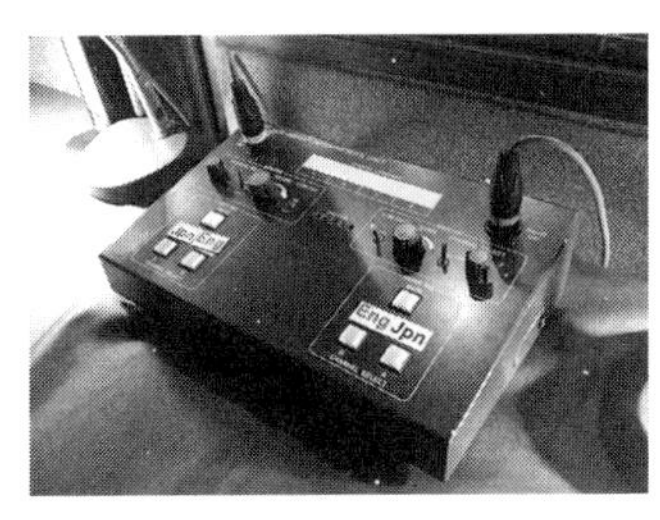

ブース内に設置された同通用の機材

必要な場合は、担当者と相談の上で調整しましょう。

機材に関連することですが、**通訳者なら必ず個人的に持っておかなければならない必携ツールがあります。**たとえばイヤホン。ブース備え付けのイヤホンを使う方も稀にいますが、大半のプロは自分のイヤホンを所有しています。

イヤホンの種類は好みによりますが、個人的には長時間付けていても疲れない耳かけタイプをお勧めします。ステレオミニジャックやミニプラグ（ステレオミニプラグをミニプラグに変換するアダプター）も一個持っておくと便利です。

通訳の消化時間を計るタイマーも必要です。同通で使うタイマーの条件は、①数字が大きく表示されて、②暗闇でも目立つよう発光機能があり（暗いブース内でも見える）、③消音オプションがあること（マイクに音が入ってしまうと困るので）、などです。

最近の国際会議では、現場で資料の差し替えが発生し、通訳者用の印刷が間に合わない状況もあります。そんなときは、ノートＰＣやタブレット（スマホでもよい）を持っていると、ファイル形式で送信してもらえるのでとても助かります。電子辞書を持参し、同通しながら単語を調べている猛者もいます。

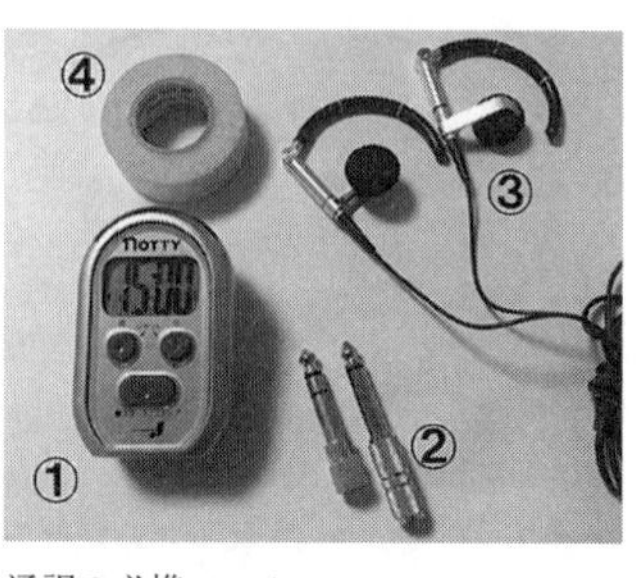


通訳の必携ツール
①タイマー　②ステレオプラグ
③イヤホン　④マスキングテープ

これらのツールは事前に十分使いこなしておき、さらに当日トラブルが起きないように前の日には確認しておきましょう（特に電池や充電の残量は要チェック！）。

それから、意外なところではマスキングテープが便利です。用語集やスケジュール表を張ったりと、地味に活躍します。セロハンテープでは粘着力が強すぎ、取り外

しが面倒なので、マスキングテープがベストです。

## ▼パートナーとの事前調整

同通は一人ではなく、複数の通訳者と交替しながら行います。前述したように、エージェントが事前に通訳の順番、分担を決定していることもありますが、そうでない場合はパートナーとどちらが先に始めるか、何分で交替するか、質疑応答はどう対応するか、などを調整する必要があります。

通訳時間は一五分で区切るのが目安ですが、難しいトピックの場合は一〇分で交替することもありますし（放送通訳ではもっと短いことも）、二〇分～二五分程度の発表が連続する場合は、無理に二人で担当しないで、一人が発表を全部受け持つこともあります。

質疑応答の対応も、一問一答を好む通訳者もいれば、きっちり時間で交替し、後半を担当する通訳者がすべて訳してしまうケースもあります。

最先端のトピックを扱う案件では、講演者の話す用語や概念について、まだ日本語での定訳が存在しない、または定まらない場合があります。そのようなとき、通訳者のAとBで訳が異なっていては聞き手が困惑してしまいます。そのようなときは通訳者同士で相談して、どのような訳にするかをあらかじめすり合わせておくのがよいでしょう。

東日本大震災のあと、災害関係の会議では「レジリエンス（resilience）」という言葉が頻出するようになりました。今では無理に和訳せずとも「レジリエンス」と言えば概ね理解してもらえますが、当時は通訳者も含めてまだ一般的に広く使われている言葉ではなかったので、「回復力」「復元力」「弾力性」「強靭化」など、複数の訳語が飛び交っていました。困惑した聞き手がいたかもしれません。

## 講演者との事前調整

講演や会議が始まる前は忙しいので、時間を取ってもらえないこともあるのですが、できれば**講演者と事前の打ち合わせをしておきたい**ものです。

講演者に確認したいのは次の点です。

### ①読み原稿（またはトーキングポイントをまとめた資料）は存在するか

クライアントがエージェントに「資料なし、アドリブで話します」と伝えている場合でも、実は読み原稿（講演者が読み上げ用に作成した原稿）があったりします。

読み原稿を用意している講演者の話は、だいたい通訳者を置き去りにしそうな速いペースで進みがちです。このような状況になると通訳者は追いつくだけで一苦労ですので、読み原稿の有無を現場で本人に直接確認しましょう。

## ②資料で不明確な点の確認

事前提供される資料やスライドには、写真しかなかったり、大きな数字が三つ並んでいるだけだったり、説明がないとどう解釈してよいかわからないものもあります。その他にも、似たようなニュアンスを持つ二つの単語をどう使い分けるべきか、言及する人間や組織の正しい発音は何か、といったことなども確認するべきでしょう（たとえばドイツの人名やポルトガルの組織名などの正しい発音は調べるのが難しい）。また、もらったスライドのアップデートがあるかどうかも聞いておいたほうがよいです。

## ③伝えたい重要なメッセージは何か

どんな講演にも「ここを重点的に伝えたい」という部分が必ず存在します。こればかりは講演者にしかわからないので、直接聞くしかありません。講演者の中には、「この点はこういう前置きをしてから次につなげるよ」と、メッセージの演出方法を教えてくれる方もいるので、聞いて損はありません。

## ④エピソードトークの有無

資料で言及されていないエピソードやケーススタディーについて話す予定はあるかどうかも聞いておきましょう。

私が自動運転技術に関する会議を担当したときのことですが、会議前日に自動運転技術を専門とする某社がテスト中に深刻な人身事故を起こし、講演者がそれについて言及せざるを得ない状況がありました。なにぶん前日の事故なのでスライドには反映されておらず、講演者から事前に聞いていなかったら、通訳をする際に戸惑ったことでしょう。

**講演者との打ち合わせをする目的は、話す内容を確認することだけではありません。話し方のクセやアクセントを確認し、小話を通じてラポール（信頼関係）を構築するのも重要な目的**です。

同通の場合はブースという物理的分断がありますが、逐次のようにそばで息を合わせて進行する場合は、講演者の信頼を得ることが通訳の質を高める一つの大きな要素です。

また、講演者には「ゆっくり話してください」とお願いするようにしましょう。**私は「通訳者のためにゆっくり話してください」ではなく、「聞き手が内容をきちんと消化するために」お願いしますと頭を下げています。**

# 3 ブース内での振る舞いとマナー

## ▼パートナーとの交替のタイミング

**同通が始まったら、基本的には事前に合意した持ち時間を守ります。**一五分交替の約束であれば、一四分五〇秒から一五分一〇秒あたりのキリがよいところでバトンタッチするのが理想的です。交替が早すぎると心の準備ができませんし、かといって時間をオーバーしてしまうと、今か今かと待ち続けなくてはならないので、これもつらい。

同通は高度な集中力を要し、肉体を酷使する仕事ですので、持ち時間を大幅に超えて通訳したいと考える通訳者はあまりいません。中には調子がよいのか長めにやる人もいますが、そのようなとき、私自身は途中で止めることはしません。調子がよければ訳の質は高くなりますし、訳の質が高ければクライアントは喜びます。そっと同通機材の交替ボタンに手を置くことで「いつでも準備はできていますよ」と伝え、あとは並走しながら交替を待ちます。

一方、私が同通をしているときは、持ち時間でパートナーとケンカをしたくないので（時間に細かい人もいるのです）、必ず自分の一五分をやり遂げ、次のセンテンスが切れたところで交替するようにしています。

自分のタイマーに表示されている残り時間がパートナーにも見えるようにしておけば、なおスムーズにいくはずです（正確な残り時間がわかりにくい腕時計はＮＧです）。

交替のタイミングは、訳している人間が決めるのがルールです。きちんとセンテンスを完結させて、次の通訳者が始めやすいようにお膳立てしましょう。

## ▼パートナーへのメモ取りは必要か？

通訳中に、パートナーのために数字や固有名詞を書き留めて見せてくれる通訳者がいます。大手の通訳学校では「メモ取りは義務」と教えるところもあります。また、後輩が先輩のためにメモ取りをするのが、文化として確立されているエージェントもあります。

とはいえこれは国際標準ではありませんし、業界の常識でもありません。もちろんブース仲間とのチームワークは大事ですし、協力できる部分は協力するべきです。ただ、メモ取りについては、さまざま意見や視点があります。

たとえば、通訳者の近藤正臣は著書『通訳とはなにか』（生活書院）で、休憩中は何もせずに頭を休ませたいのに、メモ取りを義務と考えるパートナーはこちらにもそれを期待するのでとても困ると書いていました。通訳中にいちいちメモを見せてもらっても、それに気を取られて集中できなくなるという彼の意見には、私も賛成します。

また、メモ取りには、それがきちんと相手に伝わるのかという問題もあります。この本では、パートナーから差し出されたメモに「ハリキュウ」とカタカナで書いてあったため、「鍼灸（acupuncture treatment）」をアクセントだけを英語風にして「ハリキュウ（Harry-Q?）」と言った通訳者のエピソードが紹介されています。

似たような例で、講演者の話した「sieve（粉ふるい）」という単語をパートナーがわからないようだったようなので、「ふるい」とメモに書いて渡したら、パートナーが「これは〝古い〟ので……」と訳してしまったという苦い経験が私にもあります。これは、メモを渡した私も共犯になるのですかね……。

**一日を通して高い集中力を維持するためには、休めるときに休んでおきたいものです。**ですから、私自身はパートナーにメモ出しをするのは、明らかに重要な用語を何度も訳抜け・誤訳をしている場合、またはまごついている場合に限定しています。それも相手の通訳中には出さず、一度ターンが終わったあとに渡すようにしています。

気心が知れたパートナーと組んでいる現場で、なおかつそのパートナーが通訳中にメモを読んでも集中力が切れない人であれば、メモの取り合いも一つの有効なアプローチでしょう。

## ▼休憩中の過ごし方

休憩は文字通り「休憩」ですから、**頭を休めて次のターンにフレッシュな状態で入れるようにするべき**です。

欧州の通訳者を対象にした「休憩中にすることは？」というアンケートでは、数独、クロスワード、ネット閲覧、携帯ゲーム、新聞、タバコ、編み物（！）、そして仮眠（!!）などの回答が寄せられました。さすが、日本ではあり得ないものが大半です。

私の場合は、休憩中は現場で初めて聞いた単語を用語集に加えたり、スマホで調べものをしたりします。調べものをするふりをして株取引をする通訳者もたまにいるようですが、クライアントにはしっかりバレてますよ！

ブースから出てストレッチをするのも、集中力の維持にとても有効です。長時間の通訳は、緊張状態が続くので筋肉がこわばり、頭痛や肩こりを引き起こします。

私はブースが聴衆から目立たない位置にある場合は、こまめに外に出てストレッチをしたり、歩き回ったりしています。わずかな時間ですが、これが午後三時以降の終盤で活きてくるのです。このストレッチ、意外と通訳仲間の間で過小評価されているのが残念です。

## ▼メンタルをいかに保つか

**通訳は囲碁やチェスのようなマインドスポーツの要素がある**、と私は考えています。通訳の技術そのものは一日単位で大幅にアップダウンすることはありませんが、心理状態は大きく揺れる可能性があります。

駆け出しの通訳者によくあるのが、現場での小さなミスをきっかけに、萎縮してその後のパフォーマンスが一気に低下したり、フリーズしたりしてしまうことです。

言葉が厳しめの先輩に、「あなた、なにやってんの。しっかりしなさいよ」と怖い顔で言われたら、平常心を保つのは難しいでしょう。そういう私も昔、些細な理由でブース内のパートナーと険悪な雰囲気になり、イライラしてとても同通に集中できず、不安定なパフォーマンスをした覚えがあります。

通訳は正確であることが大前提ですが、同通ではトッププロでも頑張って七割程度を訳出するのが限界です。話の核心部分は落としていなくても、情報価値が低い部分は頻繁に抜けて（または意図的に落として）いるのです。

さすがに意図せず落とした部分が多かったり、解釈が間違って誤訳になっていたりするとかなり落ち込みますが、それを次の現場に引きずっては仕事になりません。第二章でも述べたように、**反省すべき点は反省として、すぐに割り切って次に進むメンタルの強さがこの仕事には必須です。**

心が乱れた状態で通訳をするのはとても難しいことです。とにかく周囲を気にせず、目の前の課題だけを考え、集中力を高める術を身に付けなければなりません。

私は大学で現代思想を勉強したこともあり、哲学書を読むのが好きなのですが、哲学書は集中力がないと理解できないので、ある意味それがトレーニングになっています。

これに加えて、昔ほど打ってはいませんが、囲碁も役立っています。通訳者仲間には、座禅を始めてから集中力が上がったという人もいます。人それぞれですね。

ちなみに私よりうまい通訳者は数多くいますが、ブースに入って自分が通訳する番になったら、私は自分が最強だと思っています。

傲慢かもしれませんが、それくらいの「根拠がない自信」を持っていないと、この仕事は続きません。強靭なメンタルがないと、毎日のように発生するサプライズに心が疲弊してしまいます。

**メンタルの維持には、ベースとなる体力はもちろんですが、仕事中の適度な休憩と十分**

**な睡眠が一番です。**通訳業界には真面目な勉強家が多いので、朝方まで資料を読み込んで準備する人もいますが、これでは長続きしません。「通訳は準備が八割」と言われますが、これは体調が万全であることが大前提です！

## ▼パートナーに介入すべきか？

とても残念なことなのですが、現場でクライアントから頂いた重要な資料や情報をパートナーと共有しない通訳者がいます。単に意地悪なのか、パートナーの質を下げることで相対的に自分の評価を上げる企みなのかわかりませんが、クライアントにとって何が最善かを考えれば、このような行為は絶対に許されません。

さすがにここまであからさまな例はそんなに多くはありませんが、パートナーに対して必要以上に介入するという行為は時々見かけられます。

たとえば、逐次の現場でパートナーの些細な誤訳や訳抜けに何度も訂正訳を入れたり、同通の現場であれば、求めていないにもかかわらず何度もメモを突き出して読むように強く促したり……。些細な誤訳や訳抜けは訂正すべきではないのか、と感じる読者もいるでしょうが、度が過ぎると迷惑以外の何ものでもありません。

誰でも完璧な通訳を目指していますが、情報価値が低い部分についてパートナーに何度も訂正を入れられたら通訳者のリズムが崩れ、会議も進行しません。クライアントの信頼も損なわれますし、通訳者同士の信頼関係も破綻します。

**「当事者間のコミュニケーションを壊すレベルのミスでない限り介入しない」というのが米国務省の通訳訓練で教えられる鉄則です。**これは通訳者のマナーであり、同じ舞台に立って勝負しているプロに対する礼儀でもあるでしょう。

逆に、パートナーがコミュニケーションを破綻させるようなミスを連発している場合は、残念ですが介入もやむを得ないでしょう。

私自身、そのような介入をしたことがありますし、されたこともあります。しかたないと思いつつも私が介入したときは、結果的にパートナーとの信頼関係が崩れてしまいました。反対に介入されたときは、パートナーだったベテラン通訳者に感謝すると同時に、自分の未熟さを思い知らされました。

通訳者にはプライドが高い一匹狼も多いので、介入の判断はいろいろな意味で難しいのですが、一線を越えるミスを目にしてしまったら（特にそれが新人だったら）、心を鬼にして介入する覚悟も、同じプロとして必要なのではないでしょうか。

# 4 仕事が終わった後にすべきこと

## 片付けと報告は忘れずに

会議が終了したら、同通の場合はブースをきれいに片付けて、機材担当者に挨拶しましょう。使い終わった資料の山や会場で提供されたお菓子の食べかけなどを、ブース内にそのまま置いて出てしまうことを機材担当者は一番嫌います。当然ですが、お皿やコップは会場の然るべき場所に返却し、資料も現場担当者に返却しましょう。

終了後の業務報告の形式は、エージェントによって異なります。「問題なく終了しました」と一行メールを送るだけで済むところもあれば、会社指定の報告書に記入を求められるところもあります。きちんと報告を上げておかないと、報酬の支払いなどエージェント

の手続きにも遅れが生じてしまうので、早めに連絡するようにしましょう。交通費やホテル代を立て替えている場合は、領収書を郵送（またはデータ送信）します。

また、合意内容とは明らかに異なる業務内容だったり（例：逐次の約束だったのに、一人で長時間のウィスパリングを求められた）、現場で気付いた点がある場合は（例：スライド投影のため部屋の照明を落としたら、通訳席にデスクランプがなかった／通訳席が空調の真下にあった）、情報を共有することで、次回からエージェントがクライアントと調整できます。多くの場合は、クライアントが通訳者を使い慣れていない、つまり単に「知らない」ケースがほとんどなのです。

一緒に組んだパートナーとの相性が合わなかったときは、エージェントに申告すれば、次回からはパートナーとして組まない「ＮＧリスト」に加えることもできます。ただでさえストレスが大きな仕事なので、人間関係での無駄なストレスは避けたほうが賢明です。

ＮＧといえば、特定のクライアントをＮＧにする通訳者もいます。人間と人間の仕事なので、そりが合わない担当者がいるのかもしれません。駆け出し時代はなかなかできることではないですが、仕事の選択はフリーランスの特権なので、心地よく仕事をするために何がベストなのかを考えるタイミングは必ず来ます。その時にはクライアントを絞る選択肢もあるのではないでしょうか。

## ▼職業倫理をしっかりと持つ

この仕事をしていると、有名人のプライベートや公にされる前の上場企業のリストラ計画、手に汗握る政府間交渉など、一般人が知ることができない情報や状況にも遭遇します。

通常はNDA（秘密保持契約）を締結しますが、NDAがなくてもクライアントの秘密を守るのは職業倫理として当然の振る舞いです。**クライアントは通訳者を信じて資料を渡し、現場入りを許すのですから、その信頼を裏切るようなことをしてはいけません。**

また、通訳者はエージェントの代表として来ているわけですから、情報漏洩で問題が生

じた場合はエージェントが大きなトラブルを抱えることになります。「資料は現場担当者に手渡ししましょう」と書きましたが、これは情報漏洩を防止する意味合いが大きいのです。エージェントの信頼を失ったら、次の仕事はないも同然です。

こうしたエージェント経由の仕事は、個人としてではなくエージェントから仕事を請け負ったものです。ですから、現場で個人の名刺を渡すのは控えましょう。エージェントの仕事を盗む行為と思われかねません。

まれに倫理観に乏しいクライアントがいて、通訳者にエージェントを通さずに直に通訳の仕事を持ちかけてくることがあります。高く評価してくれるのはとてもありがたいのですが、あなたを信頼して依頼したエージェントを裏切るのはよくありません。

それに、現場であなたを引き抜くようなクライアントは、他の通訳者にも同じように接しているでしょうから、コスト面も含めてあなたより価値が高い通訳者が現れたら、あなたは容赦なく切られます。

切られてから元のエージェントに泣きついても、もうあなたの居場所はないでしょう。

業界は狭いので、噂はすぐに広まります。

## ▼新人の登竜門「評価案件」

順調に仕事をこなすようになると、どこかのタイミングでエージェントからいわゆる「評価案件」を依頼されることがあります。これは期待の若手をベテランと組ませて、ベテランに若手の評価をしてもらう案件です。若手側にはベテランが評価する事実は伝えられません。抜き打ちテストのようなものですね。

私の場合は、通常であれば絶対に組むことがない大ベテラン二人と組まされ、アジア某国で開催された国際会議に派遣されたことがありました。当時はあまり深く考えておらず、いつも通りに仕事をこなしたのですが、この仕事を境目に案件の質と量が明らかによくなりました。失敗しなくてよかった！

評価案件制度を特に設けず、積極的にベテランと新人をセットにして派遣するエージェントもあります。私が入ったある現場では、某社からベテラン、中堅、新人の三人が一組で派遣されていました。昔は大手でも専属契約は中堅以上が普通だったのですが、最近は若手の有望株と専属契約を結び、先輩と組ませて現場で育成する方法を採用しているエージェントもあります。

コーディネーターが現場に来るときもあります。彼らが見るのは、訳の正確性よりも訳出の速度やリズム、通訳者の態度などです。

某社のコーディネーターから聞いた話だと、用語集の完成度や資料の使用感を確認することもあり、事前に送付した資料を使用した痕跡（折れ目や手書きのメモなど）が確認できないと不安になるそうです。

新人時代は、現場経験はもちろんですが、いろんなスタイルの通訳者のパフォーマンスに触れて、そこから学び、技を盗むのも重要です。試行錯誤を繰り返していくうちに、自分の個性を活かしたスタイルが見えてくるはずです。

# 先輩通訳者からのメッセージ 2

## 中村いづみさん

会議通訳者。日本語教師、英語講師、語学学校経営などを経て、通訳者に転身する。自動車、外食、小売、IT、医療など多様な分野でインハウスを務め、フリーランスとして独立。現在は、医薬や技術系の分野からエンターテインメントまで、幅広い分野で活躍している。

長年インハウスとして活動してからフリーランスに転身した中村いづみさん。もともとは語学スクールで日本語教師や英語講師を務めながら、経営にも関わっていたという異色の経歴を持つ通訳者です。

早い段階からフリーランスへの転身を考えていたものの、通訳技術は当然として、幅広い知識と経験がなければ仕事が来ないだろうと見越し、戦略的に転職して自動車、外食、小売、IT、そして医療系へと守備範囲を広げていったそうです。彼女のキャリア戦略に迫ります。

## ✦戦略的に転職して守備範囲を広げる

ある外資系の自動車部品会社の社長付き通訳者になったとき、そこで初めて同僚の通訳者の同通を見て、私も見よう見まねでやってみたのが、同時通訳者としての仕事のスタートです。

その後通訳学校で学んだのですが、学校での経験は技術もさることながら、メンタル的にも役に立ちました。通訳は現場に出てからがきつい仕事です。顧客の評価も考えなければなりませんし、期待値を超えるレベルの訳出もしなければなりません。学校で精神的にも鍛えられたことが、その後の通訳の仕事に活かされていると思います。

私は最初、ある会社で製造工程や品質管理、システム移行などの通訳をしていたところ、システム移行における通訳の実績を買われて、外資系IT企業から転職のオファーがありました。その後、インハウス通訳者として製造分野、品質分野、サプライチェーン、購買、財務などを経験しました。さらに、不況に強い企業を選ぶべきだと考えて、IT や医療関係への企業へ移っていきました。フリーランスへの転身は、十分な仕事が来るかどうか不安だったので、なかなか決心がつきませんでした。この時に得た人脈や経験が、後にフリーランスになったときに大いに役立ちましたね。

## ✦業界事情を知りすぎて躊躇

通訳として仕事を始めた当初、私は派遣会社から企業に派遣されたインハウスでした。当時は報酬の相場が明確にはわからなかったので、ネットの求人・転職サイトをよく見ていました。フリーランスになってからは、エージェントが提示するレートや同僚からの情報などで相場感がつきました。

ちなみに、私が確認した派遣パターンは「通訳業務のみ」「通訳と翻訳あり」「通訳、翻訳、アシスタント業務もあり」の三つです。通訳以外の業務の割合の希望も、派遣会社の面接で聞かれました。私は通訳経験が乏しかったのに「通訳業務のみ希望」と答えていました。この種の仕事は翻訳業務も発生するのが普通なので、派遣会社の方も内心びっくりされていたのではないでしょうか（笑）。若気の至りですね。

長年、さまざまな企業でインハウスとして勤務する中で、フリーランス通訳者を外注するやりとりを見ているうちに、通訳者の値段の付け方や利幅など、業界の生々しい裏事情を知るようになり、自分がフリーランスになることをためらっていました。

## ✦フリー転身のタイミング

インハウスのいいところは、フリーランスの一年目に来ないような講演や会議に参加できることです。あとは他の通訳者から学べること。エージェントも、企業に通訳者を派遣するときは経験者を優先しますので、そういった方と一緒にブースに入ると、こういうふうに訳すのか、こう乗り切るのかと勉強になりました。エージェントから長年派遣されているフリーランス通訳者のほうが、その会社のインハウス歴の浅い私より用語を知っていることもありました。中にはかれこれ一五年以上も担当している方もいましたよ（笑）。

それでも、最終的にはフリーランスになろうと決めました。その理由は、転職かフリーランスかと悩んだ時期に、自分がワクワクするような業務ができる会社の求人がなかったこと、そして同じ会社で三年以上勤める自信がなかったからです。若いときでしたら、新たに日本に進出する金融やIT企業などのチームの一員として参加するのも面白いと感じたかもしれません。

これまでいろいろな会社を経験してきて蓄積が増えてきましたし、時給も頭打ちになってきて、そろそろフリーランスになる時期かなと思い切って独立しました。もっと自由に働きたいという気持ちが強くなったのも大きかったですね。

## 同じ価値観を持つ仲間を増やしたい

インハウス時代もそうでしたが、フリーランスになってからも日々いろいろな通訳者に出会います。私は、信頼できて、一緒に楽しく仕事ができる仲間をどんどん増やしていくことが大事だと思います。

通訳は一人では出来ない仕事が多く、人を紹介しなくてはならない場面も増えているので、単に同業者とつながるのではなく、似たような価値観を持つ人を見つけていきたいと思っています。知識や経験に加えて、体力や柔軟性、性格も重要になってくるでしょうね。

通訳という業界は、自分だけで案件を抱えようとする、閉鎖的な業界のような印象があると誰かに言われたことがあります。個人的にはそうではないと思いますし、業界としてもオープンに情報を循環させたほうがいいと考えています。

実際、私の周囲では依頼されたものの自分ができない案件は、状況を見て紹介し合ったりしています。また、直接取引の案件でしたら、私が用語集を作り、ブリーフィングもし、テクニカルな部分については訳もつけて、他の通訳者と資料を共有したりもしています。

# 第4章
# 選ばれる通訳者になるために

# 1 通訳技術で差別化する

## ▼横一線のスタートから勝ち残るには

通訳学校や大学院を卒業した若手でも、定年退職後に通訳を始めた元エンジニアでも、言語運用能力を活かして通訳者に転身した元専業主婦でも、この業界で活動をスタートした時点では、皆横一線です。

過去の経歴や他の仕事での実績などはまったく関係ありません。他の通訳者とは励まし合って切磋琢磨する関係でありながらも、同じ舞台で戦い、プロとして仕事を取り合うことになります。

その中で他の通訳者より輝く存在、つまりクライアントに「この人にお願いしたい」と

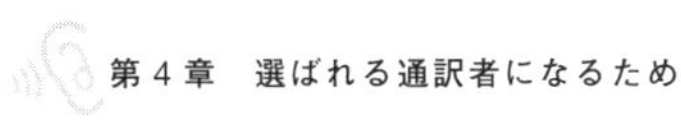


思われるような価値のある通訳者になるには、何をしたらよいのでしょうか。

本章では、私自身の経験も踏まえて、自分を差別化し、クライアントから選ばれる通訳者になるためのヒントを紹介します。**多くは注意していないと気付かないような小さな工夫なのですが、それを積み上げていけば大きな価値になります。**

自分の強みを見極めて、それを十分に発揮できるようにする。これらはまだ基本的な要素で、クライアントに選ばれ続ける通訳者はさらに工夫をしているのです。

それではまず、技術面で差別化できる点を紹介します。

## 訳の正確性と情報価値について

通訳学校では「正確な通訳が第一」「講演者の発言を正確に捉えよ」など、通訳の「正確性」をことさら重視します。確かに**通訳の基礎を学ぶ段階では、正確性に気を付けるこ**

**とが大切**です。

しかし、**ひとたび現場に出ると、やみくもに「訳の正確性」を追究しても、おのずと限界が見えてきます。**

何度か述べたように、同通では、トッププロがどう頑張っても全体の七割程度しか訳せないと言われています。なぜこの状態で同通が成立するかというと、訳していない部分は情報価値が低いか、すでに訳出した内容から容易かつ論理的に推測できる内容だからです。

外国映画の字幕を考えてみてください。字幕には字数制限があるため、自明な部分がバッサリ落とされたり、かなり大胆な意訳がされたりすることがあります。字数制限の代わりに時間的制限のある通訳にも、同様のことが言えます。

言語構造がまったく異なる日本語と英語のあいだで、情報量の一〇〇パーセントを完全に訳して話すと、とても聞きづらくなります。

**情報価値の取捨選択をしない訳は、文章がとてもぎこちない上に情報量が多すぎるので、聞き手が話を消化しにくくなります。**そればかりか、訳がどんどん遅れてきて、そのうち話者の話に追い付けなくなるでしょう。

私は以前そのような訳を聞いたことがありますが、焦っている人の話を聞いているようで、何が言いたいのかさっぱりわかりませんでした。

この業界で長年活動している（つまり「選ばれ続けている」）ベテラン通訳者は、**情報価値が大きい内容をしっかり拾い、価値が小さい内容は意図的に落とします**（つまり「訳さない」）。

情報価値の取捨選択をきちんとすると、話者のペースに遅れることなく並走できます。すると、聞き手が消化しやすい形に話を加工して伝える心理的・時間的余裕が生まれます。結果的に話す量も減り、体力も節約できます。

一方、現場経験が少ない人にありがちなのが、次の二つのパターンです。

一つ目のパターンは、「**情報価値が低い部分にこだわり過ぎる**」。そのせいで、のちに出てきた情報価値の高い部分で集中力が途切れ、大事な部分を訳せなかったり、不完全な訳出をしてしまったりします。

二つ目のパターンは、「**情報価値を見極めずにすべてを詳細に訳そうとする**」。訳の質を低下させてしまうばかりか、「会議を長引かせる」という誰にとってもうれしくない結果を生み出してしまいます。

なお、逐次では同通よりも細かく丁寧に訳しますが、それでも経験豊富な通訳者ほど情報を取捨選択して、聞き手にとっての「理解のしやすさ」を優先することがあります。

スピーカーには説明が不得意な人もいますから、きちんと伝わるように通訳者が情報を整理するのです。

## ▼伝えるために「加工」する

先ほど「聞き手が消化しやすい形に加工して伝える」と述べましたが、ベテランほどこの点を重要視しています。**いくら正確に訳しても、伝わらなければ意味がない**と理解しているからです。

ＥＵで会議通訳者を長年務めたローデリック・ジョーンズは、『会議通訳』（松柏社）で以下のように書いています。第２章でも紹介した部分ですが、重要なことなので再度掲載し、ここでは原文も添えておきます。

通訳者の仕事は、スピーカーの言わんとすることをできるだけ誠実に伝達することである。しかし、それが書かれたものであっても、口頭によるものであっても、必然的にオリジナルの形から変わるのである。最も忠実な通訳とは、スピーカーが意図した考えを形を変え、最も正確に表したものに過ぎない。考えを正確に表すということは、必ずしもスピーカーの言葉そのものや語順を複製することではない。スピーカーに忠実であるために、言葉や語順に背かなければならないという矛盾をむしろ正当化したいのである。

The interpreter's job is to convey the speaker's meaning as faithfully as possible. But any translation, written or oral, necessarily changes the form of the original. The most faithful interpretation will merely be the transformation that comes closest to respecting the speaker's intended meaning. And to respect the meaning, one does not necessarily have to copy the exact words of the speaker, nor the order in which the speaker says them. On the contrary, I would defend the paradox that in order to be faithful to the speaker, the interpreter must betray them. (*Conference Interpreting Explained*, Routledge)

**話者に誠実（faithful）であるためには、話者の言葉や語順に背かなければならない。この矛盾に通訳者は日々悩んでいるのですが、現場を経験している者としてこれ以上の真**

**実はありません。**

話者が与えた文脈・意味の範囲内でどのように伝えるかは通訳者の自由であり、通訳者の個性に影響されます。つまり、「話者の言葉」ではなく「自分の言葉」で話すのです。ただし、これは自分の勝手な意見や見解を述べることを意味するものではありませんので、この点は注意してください。

以前参加した初学者向けの通訳ワークショップで、講師が「何も足さない、何も引かない、何も変えない」のが通訳の基本だと教えていました。生徒に悪いクセが付かないための戒めだったのかもしれませんが、**実際の現場はむしろ足して、引いて、変えないと成立しないことばかり**です。足したり引いたりする内容や、変える適切なタイミングを見極めるのも、優れた通訳者の条件といえます。

私の場合、法務の仕事であればあまり加工せず、原文が堅苦しければ訳文も堅苦しいまま出します。一方、マーケティング関連のイベントなどであれば、大胆な加工をして場を盛り上げるようにすることも。

たとえば、You'll publicly humiliate yourself. という原文に対して、堅めに「公の場で恥ずかしい思いをするでしょう」と訳したこともある一方、「公開処刑ですよ」と訳したこともあります。現場の性格により、求められる通訳のスタイルは異なり、どこまで大胆に切り込むかは通訳者の感覚に委ねられています。

## ▼訳の速度と間の取り方

私は落語が好きなのですが、同じ古典落語であっても、落語家によって話すテンポや間の取り方、そして聞き手との心理的な距離の取り方がまったく違います。

落語家は入門してから前座、二ツ目、真打ちと昇進していきます。二ツ目になりたての若手は、ネタを正確に話そうとするあまり、聞き手が感情移入しにくい話をしてしまうことがたびたびあります。正確なのに、その場の情景が頭に浮かばない。そのため、「丁寧でうまかったね。でも心に響かなかった」という結果になりがちです。

通訳でも同じことが言えます。同通では話者の速度に遅れないようにしなければなりませんが、**選ばれる通訳者になるためには、さらに訳を「聞かせ」なければなりません。**あまり早口だと聞き手が話に追いつきませんし、遅すぎたら話者の話の速度についていけません。話者と並走しながら、聞き手が内容を理解する時間的余裕を与える。優れた通訳者はこのバランスを意識しています。

**話の途中で適度に間を空けるのも、有効なテクニック**です。

逐次では、一つのセンテンスのあとに一呼吸待ってから次のセンテンスを始めて、**前のセンテンスのメッセージ性を強調する**ことがあります。これに**抑揚を付けるとさらに効果的**でしょう。

さらに意図的に訳出開始のタイミングを数秒ずらすことにより、**話者に通訳者の存在を意識させる**こともできます。話が長すぎる話者の場合、タメを作ることを通して「通訳者がいるのでもう少し短く切って話してもらえますか」と暗に語りかける技についてはすでに紹介しましたが、逐次ではこれも含めて**話者との非言語コミュニケーションをいかにう**

**まくできるかで訳の仕上がり精度が変わります。**

演劇の舞台を想像してみてください。俳優が演技中にアドリブを入れたり、セリフを間違えたりしても、周りの共演者が状況を察して合わせてくれるような阿吽の呼吸。**話者とのリズムが合ってくると、通訳者も同じような空気を話者と共有できます。**

訳出速度と間の取り方については、通訳学校ではあまり重点的に教えてくれません。一律に決まっているわけではないので、話者との心的距離を見極めながら決めていくしかないからです。

現場に出始めたばかりの通訳者は、心の余裕のなさから独り善がりな訳をしがちですが、話者との心的距離を意識すれば訳の効果は確実に上がりますし、逐次の仕事が楽しくなるはずです。

## ▼発声、抑揚、レジスター

私は声がデカいので、今まで幸いにも発声で悩んだことはないのですが、中には声がとても細く聞きにくい通訳者もいます。

この人、訳はとてもうまいのに、自信がなさそうに聞こえて損をしているなあ、と思ったこともあります。**はっきりとした芯がある声で話すこと、これは訳の効果を上げるために欠かせない要素**です。

とはいえ元々声量がなく、大きな声で喋ろうとすると喉が詰まってしまい、すぐに声がかれてしまう人もいるようです。そんな人はどうすればよいのか。落語家の柳家小三治が対談で話していた方法を紹介しましょう。

それは、大きな声を出そうとするのではなく、**子音をはっきりと発音するように意識すること**です。たとえば「わ」と言うときには「ＷＡ」の「Ｗ」の部分を、「だ」というときには「DA」の「D」の部分を強調してください。すると、そんなに大きな声でなくても遠くまで通る声になるはずです。試しに私もやってみたら、太い声がさらに太くなりました。

また、淡々と機械的に単調に話すよりも、**声に強弱があった方が聞き手の注意を引きつけやすい**です。抑揚をつけるだけで特定のメッセージを強調し、発言（訳）にストーリー性を持たせられるのです。

一例を挙げると、重要なキーワードを話すとき、少し高い音域にアクセントをおくことで、聞き手に「あ、ここが重要なんだな」と思わせることができます。発声と抑揚については、最近ではプロのアナウンサーによる通訳者向けの話し方スクールもありますので、ここが弱点だと感じる方はぜひ受講を検討してみてください。

さらに、**話者の年齢や立場、話の内容や現場の状況によって、話し方を変える**ことも重要です。これを言語学では「レジスター（言語使用域）、Register」といいます。

貿易交渉に臨んでいる官僚の通訳者と、コメディ映画のＰＲで来日した俳優の通訳者が同じ口調だったら、聞き手は違和感を覚えることでしょう。第1章で紹介した、大手企業の会議で学生のタメ口のノリで訳したエピソードも、このレジスターの問題になります。

かくいう私も、このレジスターで大失敗をしたことがあります。世界的に著名な作家の通訳をしたときのこと。彼がとてもカジュアルな喋り方で話していたにもかかわらず、あからさまなタメ口の通訳に抵抗があった私は、堅めの話し方で通しました。What's up? を「みんな、調子どう?」ではなく、「皆様、いかがお過ごしでしょうか」的な表現で訳すイメージです。途中で先輩が「もう少しくだけた調子でいきましょう」と声をかけてくれたのに、最後まで修正できませんでした。結果的に話者の印象が大きく変わってしまったことは間違いないので、いまだにあのときの聞き手には申し訳ない気持ちで一杯です。

逐次をする際、私は常に訳出速度を強く意識しています。法務関係の通訳をするようになってから、さらに速度向上に努めてきました。

## 強みになるスピードと体力

法務関係の仲裁やデポジション（証言録取）などでは、弁護士が証人に質問できる時間が限られています。それならば、**与えられた時間内に一つでも多く質問をしたい弁護士は、訳出が速い通訳者を雇おうとするはず**、と読んだのです。

実際に私は、前の案件で相手側（敵対する側）にいた弁護士から、後日別件の依頼を受けたことがありました。「今まで見た通訳者の中で、一番訳出が速かったから」というのがその理由でした。読み通りです。

一部の法務通訳では発言の一つひとつが文字に起こされて証拠になるので、普通の通訳者は慎重なペースになりがちですが、私はそこに差別化要因を見出したのです。別案件で相手側についていた弁護士に仕事をオファーされたという事実は、自分がやってきたことは間違っていなかったという、大きな自信になりました。

**訳出速度とともに、私の勝負ポイントとして「体力」があります。**私は自分自身が「体力系」の通訳者で、平均的な通訳者より集中力を維持できる時間が長いと思っています。

これは、私がもともと肉体的・頭脳的に優れているということではなくて、若手時代に他の通訳者なら敬遠するような厳しめの案件を多数経験してきたことからくる自信です。つまり、**数々の経験を通じて、長時間の案件であっても力の入れどころや抜きどころがあることを把握**しているのです。

私が主戦場としている法務や政治分野では、情報漏洩を警戒して、またコストを抑えるため、可能な限り関係者の数を少なくする傾向があります。そのため二人体制の通訳よりも、スタミナが持つ私一人に直接依頼したほうが何かと都合がよいのです。

このように**クライアントの潜在的ニーズを知るのも大事**ですね。

## ▼聞き手に直接語りかけよう

現場に出るようになって、**通訳者の訳はたいてい、なぜか他人行儀な感じがする**ことに気付きました。話者と聞き手の距離が、通訳者が介在することにより、話者が期待しているより遠くなったような気がしたのです。

そこで私は早い段階から、聞き手との距離をもっと近づけるような話し方ができないかと考えるようになりました。その結果、実践するようになったのが**「かぎかっこ話法」**です。

「かぎかっこ話法」とは、**原文では必ずしも一人称で表現されていないところをあえて一人称で訳出することで、聞き手に話者の感情や雰囲気をより強く伝えるコミュニケーション法**です。一定の距離感が生まれる三人称と比べ、一人称で話すほうが、聞き手が具体的なイメージを描けるので共感しやすくなります。私（I）があなた（YOU）に語りかけることにより、語り手と聞き手の間にパーソナルなつながりを確立できるのです。

具体的な例を挙げて説明しましょう。原文の日本語を見てください。

【原文】四〇年前とか五〇年前の方々って、価値観が統一されていて、もう札束積み上げようと。お金持ちになろうと。で、成功しようと。

これを同通すると、以下のような訳になると思います。三人称で表現すると落ち着いたトーンになりますが、その分、距離を感じませんか？

【訳例A】People 40 years ago or 50 years ago shared the same value, which was to maximize their income, be wealthy, and achieve success...

【訳例B】People 40 years ago or 50 years ago shared the same value. Everybody wanted to maximize their income, be wealthy, and achieve success...

これを「かぎかっこ話法」で訳すことにより、私（I）を主語にすると次のようになります。

【訳例C】People 40 years ago or 50 years ago shared the same value, which was, "I'm going to make as much money as possible," and "I'm going to get rich," and "I'm going to be successful."

声にも躍動感を持たせられたら、さらに効果大です。なお、聞き手は受動態より能動態で訳した方が理解しやすいので、**通訳者は基本的に能動態を意識すべき**です。

聞き手との距離を縮める工夫として、**語尾の調整**もあります。通訳学校では必ず「きちんとセンテンスを終えましょう」と教わるので、多くの通訳者が「〜です。」と文章を終えることが多いのですが、私は聞き手の関心を引きつけるために、終わり方を工夫しています。

たとえば同じセンテンスでも語尾を工夫して、一方的な説明ではなく、相手の反応を促すような形にするのです。

例を挙げましょう。This is a shocking figure. の訳です。

【一般的な訳】これは驚くべき数字です。

▼

【語尾を調整した訳】驚くべき数字じゃないですか。

このように、相手の同意を促すような話し方で、相手との心的距離を縮めることができます。

この語尾のヒントになったのは、沖縄県民の話し方です。私は一〇年ほど沖縄に住んでいたのですが、彼らはビジネスでもプライベートでも日常的に「○×します」ではなく、「○×しましょうね～」と柔らかい話し方をします。沖縄県民は温かい人柄で知られますが、話し方が大きな理由ではないかと考えたのです。

実は、一部の通訳学校ではセンテンスの最後を「〜ものですね」や「〜ね」などで終えることをあまり推奨していません。なれなれしいとか、雑な印象を避けたいからでしょうか。私はあえてこの逆を実践することで、短時間で心的距離を詰めるようにしています。

バレエ振付師のジョージ・バランシンは、劇場最後列に座る観客にもダンサーの指先が見えるように、それぞれの指に若干の角度をつけるように指示しました（伝統的なロシアバレエでは、手指は腕の延長として表現するので、観客視点だと指が重なって見える）。通訳者もセンテンスの終わり方（＝指先）を工夫することで、聞き手の印象を変えることができるのです。

もちろん、このような話し方ができる現場や状況は限られますが、適切に使えば効果は絶大です。

# 2 さらにワンステップ上の通訳技術

## ▼会話のマネジメント

ここまで述べてきたのは、いわば初歩的なテクニックです。さらにワンステップ上の中・上級編を紹介します。まずは「会話のマネジメント」に関して、いくつかのポイントを紹介します。

本書の冒頭で、通訳者は黒子ではなく、むしろサッカーの審判に近いのではないかと述べました。通訳者は単に言葉を訳すだけではなく、会話の交通整理を求められることも多いからです。**適切に会話の交通整理をすることで、無用な誤解を防止し、時間を節約し、当事者のストレスを抑えることができます。**

では、「会話のマネジメント」とは、具体的にどのようなことをいうのでしょうか。

たとえば、クライアントと一緒に企業を訪問したケースを思い浮かべてみてください。アポイントを取った段階では二時間打ち合わせの約束だったのが、急遽先方が一時間しか時間が取れなくなったとします。

この場合、クライアントはかなり情報を圧縮して話さなければならないので、通訳者も大事な情報だけに集中して訳す必要があります。細部や表現性にこだわることなく、削るべきところは大胆に削って時間を節約しなければなりません。


また、文脈を読んで会話に直接介入することもあります。

たとえば、日本人側はまだAのトピックについて議論しているのに、外国人側が何の前触れもなくBのトピックに関する質問をしたとします。このような場合、漫然と話の表面だけを訳していたら、お互いの話題の食い違いに気付くまでに時間がかかる上に、さらにもう一度説明を繰り返さなければなりません。話題の違いに気付いた場合、通訳者のほうから「いや、これはＢに関する質問です」と一言加えて交通整理をするだけで、当事者同士の無駄なやりとりを省くことができるのです。

また、発言者が言い間違えることもあるでしょう。福岡での講演なのに、「大阪の皆様……」と言ったり、似たような社名を取り違えたり。人間ですから間違いは付き物です。このような**明らかな凡ミスはしっかり拾って修正**すると、英語がわかる担当者にはとても感謝され、あなたの通訳者としての価値が高まります。

ここまで明らかなミスではなく、正しいのか間違いなのかわからない発言もあります。通訳者の対応はそれぞれで、何があっても言葉の通りに訳す人もいれば、八割くらい確信があれば自分が正しいと信じる訳を出す人もいます。私は後者で、**クライアントに無用な恥をかかせないのも通訳者の仕事**だと考えています。

## ▼自信が持てないときは網を広げる

**若手とベテランを分ける決定的な技術が「正しく間違う」技術です。**肝心なキーワードを聞き逃した場合や、訳語がわからない、または自信が持てない場合に、最適だと思われる訳からさほど意味が離れていない表現で処理し、ダメージを最小限に抑える技です。シンプルな例を挙げて説明します。

【原文】**私は大学でマーケティングを勉強しました。**

ごく簡単な原文ですが、下線の部分の聞き取りが完全ではなく、あまり自信が持てない場合、どう訳したらよいでしょうか。

【訳例1】I studied finance in college.
【訳例2】I studied marketing in high school.

基本的に、**通訳者はピンポイントで誤訳することを最も嫌います。**それよりはまだ、**少し意味の距離が離れた「最寄りの訳」で訳に含みをもたせて次につなぎ、聞き手が意味の距離を埋めてくれることを期待したほうがよい**のです。

その点から検討すると、【訳例1】は「マーケティング」と「ファイナンス」を、【訳例2】は「大学」と「高校」をピンポイントで取り違えているので、「よい間違え方」とはいえません。確固たる自信がない中で踏み込む勇気は認めますが、常にこのようなギャンブルをしていたら必ず破滅する日が来ます。

では、以下の訳例はいかがでしょうか。

【訳例3】I studied <u>business</u> in <u>school</u>.

味気ない、距離がある文章だなと感じる人もいるかもしれません。しかし、本当に追い込まれたときの訳としては、【訳例3】は前の二つと比べてとても柔軟で無難な訳です。businessはマーケティングを含んでいますし、schoolの一部に大学も入ります。ピンチのときの訳としてはなんとか許せるでしょう。

仮に「マーケティング」または「大学」がとても重要な部分を構成している場合、聞き手が後で確認する場合が多いです。重要な部分の理解が曖昧なまま放置されることはほぼありません。

私はこのメソッドを**「網を広げる」**と表現しています。**ピンポイントで誤爆するよりは、網を広げて（＝意味の幅を広げて）、最適訳が確実に含まれる形にして訳出する。**そこで生じる意味の距離は、大抵の場合は聞き手が文脈から解釈して埋めてくれます。

## ▼「チャンク化」してその後の展開に備える

「チャンク（chunk）」とは「かたまり」のこと。心理学やＩＴ分野では「情報のまとまり、断片」のことを「チャンク」といいます。

**同通では、後の展開が不透明な話を訳すとき、とりあえず情報をチャンク化して訳出し、後で一気に処理することがよくあります。**

例を挙げましょう。筑波大学の落合陽一准教授の発言です。

【原文１】僕らのラボってなにかというと、波動と、デジファブと、メタマテリアルと、ディープラーニングと、バーチャルリアリティと、バイオハックの専門家が四〇人強いるラボで、非常にデカいラボなんです。

通常、通訳者がこの文章を訳す場合、「……専門家が四〇人強いる……」まで待ってから訳し始めることはなく、頭から順番に訳出するＦＩＦＯ（先入れ先出し、first in, first out）で処理します。文脈から、①落合准教授が自分のラボについて話している、②セッションの冒頭なので紹介的な内容である可能性が高い、以上から推測して「安全な」動詞をとりあえず置いて様子を見ます。

【訳例A】 Our lab does a lot of work in wave engineering, digital fabrication, metamaterial, deep learning, virtual reality, and biohacking, with just over 40 specialists. It's a huge lab.

「僕らのラボってなにかというと……」に続く内容が「僕らのラボではこんなことをしています」という説明であると仮定して、訳を構築しています。ＦＩＦＯで話者が発した言葉をどんどん処理していくので、訳出が遅れることはありません。

仮に話者が「僕らのラボってなにかというと、波動と……バイオハック、の専門家が四〇人強いるラボ、だったらいいんだけど、そんなにデカいラボではありません」とフェイントをかけてきたら、次の【訳例B】のように、最後にI wish!（「だったらいいんだけどね！」）を加えてひっくり返せば問題ありません。

【訳例B】 Our lab does a lot of work in wave engineering, digital fabrication, metamaterial, deep learning, virtual reality, and biohacking, with just over 40 specialists. I wish. It's not a huge lab.

他にも、シンプルに"Not."でひっくり返す手もありますし、"Now, that would be ideal, but that's not the case."と丁寧に反転させる方法もあります。打つ手はいろいろあるのです。**主題について事前に調べておけば、訳例A、Bのような対応は比較的簡単にできます。**

では、落合准教授と彼のラボについてまったく知識がない場合は、どのように処理すればよいのでしょうか。

その場合は、**意味の方向性にコミット（深入り）せずに、机の上に意味の塊を並べていくような感じでじっくり待ちます。**たとえば、【原文2】を見てみましょう。【原文1】と比べてみると、最後の部分が正反対の意味になっています（ちなみにこの発言はフィクションです）。

【原文2】僕らのラボってなにかというと、波動と、デジファブと、メタマテリアルと、ディープラーニングと、バーチャルリアリティと、バイオハック、というような最先端技術は一切取り扱っていません。地味な基礎科学がメインです。

背景知識が不足しているときは、最初から無理にコミットするより、意味的距離を保ちつつ、あとで確実にまとめたほうが聞き手の印象がよくなります。万が一、コミットした訳の方向性が完全に外れてしまうと文章全体を言い直さなければならないので、早口でまくしたてる羽目になり、確実に聞きづらくなってしまうからです。プロとしては、危険地帯にいるとわかっているのに、無用なリスクを取るのはあり得ない行動です。

**【訳例C】** What does our lab do? Well, you have wave engineering, digital fabrication, metamaterial, deep learning, virtual reality, and biohacking. These are cutting-edge technologies that we don't deal with. Instead, we mainly deal with obscure basic science.

一般的な人を表すyou（人称代名詞）は、このような場合において非常に便利です。weではなくyouとすることで距離が生まれます。「うちのラボでやってるよ」とはコミットせずに、「AとBとCがありますよね。でもこういう最先端技術はやってません」と処理できるのです。

ちなみに「僕らのラボってなにかというと」を“What does our lab do?”と処理したのもミソで、センテンスを完結させることで後の処理に柔軟性が生まれます。“Let me tell you what our lab does.”でもいいでしょう。これらの表現は英語としても自然なので、必要以上に短く区切っている感じもしません。

原文に忠実に訳すと、“our lab studies things like...”や“our lab is involved in...”となりますが、これらの訳だと、意味が定まっていないのに動詞にコミットしていることで、後処理に縛りが生まれるため、ミスの確率が高まります。テレビでよく耳にする放送通訳者が比較的小さなチャンクで訳出するのも、先が見えにくい中での長文構築はリスクが高すぎるからなのです。

## 3 自分のブランディングを考えよう

### ▼技術があっても未来が保証されているとは限らない

ここまで、通訳の技術面における差別化のポイントを紹介しました。あなたの通訳テクニック向上のヒントになったでしょうか。

ここで強調しておきたいのですが、私は**通訳者の「技術」と「実力」は別物**だと考えています。「技術」とは純粋な通訳テクニック、つまり訳がうまいか下手かです。それに対し「実力」は、技術に加えて営業力や演出力、人間関係の構築力などといった要素を含み、ビジネスの世界における通訳者の総合価値を指します。

いくら素晴らしい技術を持っていても、営業力やコミュニケーション能力などが低ければ、自分の技術を効果的にアピールできません。クライアントやエージェントがあなたの価値に気付かなければ、せっかくの技術も宝の持ち腐れです。

選ばれ続ける通訳者になるためには、通訳者としての自分の価値を正確に把握し、それを効果的に演出する必要があります。そして、顧客にあなたの価値を認知させ、通訳市場でのあなたのポジションを理解させる「ブランディング」が必要になります。

**ブランディングとは物語を語ること**です。

自分という通訳者がどのような技術を持ち、どのような専門知識や経験を有し、他の通訳者と決定的に違う価値はこれですと、受け手の心に響くメッセージを発信することなのです。

実は、エージェント経由の仕事をこなすばかりでは、通訳者個人のブランド構築は困難です。通訳者個人がどれだけ良質な仕事をしても、クライアントが最終的に評価するのはその通訳者が所属するエージェントであり、通訳者個人のブランド価値は期待以上には高まりません。

しかし、通訳者が依頼の段階からクライアント対応を直接行うこと、つまり**エージェントを介さないで直接取引をすると、彼らの求める価値を具体的かつ正確に把握し、そのニーズに合致する物語を語りやすくなります。**その結果、通訳者の人材価値が高まってレートが上がり、クライアントとの信頼関係も強くなり、労働環境の整備もしやすくなるでしょう。

もちろん私はエージェントが悪だとか、一緒に仕事をするべきではないと主張しているわけではありません。私自身、今でも「仕事ポートフォリオ」の多様化のため、一部エージェントとの取引は続けています。エージェントが行う営業や事務作業には確実に価値がありますので、手数料を支払ってもそれをお願いしたいと考える通訳者が多いのも理解できます。

ただ、長期にわたりクライアントに選ばれ続ける通訳者になるには、自分のブランドを確立する必要があり、それにはクライアントとの直接取引も増やしていくべきなのです。

クライアントと直接取引をして、コミュニケーションを管理する。細かなコミュニケーションをエージェントに丸投げする通訳者が大半であるからこそ、その部分が苦でなければ、自分で直接対応することで大きなメリットを得られます。自分が伝えたいメッセージを自分が望む形でクライアントに伝えられますし、このようなメッセージの積み重ねがあなたの通訳者としての価値を高めていくのです。

## 物語を語るための三つのステップ

さて、「ブランディングとは物語を語ること」と述べましたが、そのためには①自分の強みを把握する、②誰に価値を生んでいるのかを理解した上でメッセージを作成する、③そのメッセージを広く伝える活動をする、この三つが大切になってきます。私自身の例を挙げながら、それぞれ説明していきましょう。

### ①自分の強みを明確にする

どこにでもいる置き換え可能な人材ではなく、**少なくとも何か一つ特徴的な価値を持つ通訳者だと認識されなければ、安定的かつ高レートの仕事は続きません。**

私の場合、逐次においては「訳出速度」と「体力」、同通であれば「和訳と英訳の質的バランス」が強みです（日本では日英よりも英日が得意な通訳者が多く、パフォーマンスの質的ギャップがある）。ですから、英日のみの同通案件はあまり積極的に受けません。英日方向に限定すれば私よりうまい通訳者は数多くいるので、自分の強みを発揮できないからです。自分の強みを発揮できないと、他の通訳者との差別化が困難です。

### ②相手に合わせたメッセージ作り

多くの企業は通訳をコストとしか考えておらず、通訳にお金をかけてもっと質を上げようという考え方をする企業は残念ながら少数派です。それを変えるには、**通訳者の価値を目に見える形で見せる必要**があります。

私は、相手によって自分がアピールする得意分野を変えています。ゲーム業界の関係者には、サンフランシスコで開催されるＧＤＣ（ゲーム・デベロッパーズ・カンファレンス）や東京ゲームショウでの実績などを紹介し、自分がゲーム好きで知識も豊富であることをアピールします。スポーツの通訳者を求めているクライアントに対しては、スポーツ以外の実績については求められない限りは話しません。何か一つとがった特徴があると記憶されやすいので、その一点に集中するのです。

## ③メッセージを広く伝える

メッセージを作ったら、できるだけ広く伝えるような活動をしましょう。ただし、ここでいう活動とは、主に**間接的（受動的）ＰＲ**です。特定のクライアントに直接アプローチする手法が悪いわけではありませんが、それ自体に高い技術とセンスが必要な上に、そもそも通訳技術は目に見えないので売りにくいものです（私はプロになってから直接営業をしたことは一度もありません）。

それゆえ、通訳技術は見せられないけれど、自分の人となりや技術、専門知識をさまざまな方法で表現する間接的PRがとても大事です。人間は知らないものを恐れたり、避けたりする生き物ですが、あなたが自分という人間を間接的にでもさらけ出せば、クライアントに会う前から一定の信頼関係を構築することができます。

## ▼間接的PRの四つの方法

私が勧める間接的PRとしては、①ウェブサイトの作成、②ブログの開設、③求人系SNSの活用、そして④各種イベントへの参加や企画、の四本柱です。

### ①ウェブサイトの作成

フリーランス通訳者は自営業者ですから、ビジネス全体を考える上で自分のウェブサイトを持つのは基本です。**ウェブサイトはあなたという人材の展示場であり、販売所であり、問い合わせに対応する情報デスクでもある**のです。あなたが寝ているあいだも二四時間休まずに営業してくれます。

今の時代、検索して見つからない通訳者は、看板を出していない飲食店のようなものです。いくら素晴らしい価値を提供していても、客がその存在に気づきません。サイト用に、クライアントに実名で推薦文を書いてもらえれば理想的です。

## ②ブログの開設

ウェブサイトが静的なメディアであるのに対して、**ブログは通訳者としてのあなたの知識や経験を動的に披露できるメディア**です。

たとえば、あなたの得意分野が自動車である場合、守秘義務に違反しない形式で、特定の企業名を開示せずに、自動車通訳に必要な基礎知識や応用知識、専門用語と対訳、業務フローや会議の種類、業界の時事問題、関連会社（たとえば自動車部品）に関する情報をコンテンツ化して発信できます。通訳業界は専門的なコンテンツが相当不足しているので、チャンスはあらゆる分野にあります。

なお、ブログはきちんと編集して、多くの人に読んでもらえるようにしましょう。確かな知識を持つ人は信頼を得られやすいからです。画像や動画、音声（ポッドキャスト）などと絡めて発信するのも面白いかもしれません。

ブログに限らず、機会があれば業界団体のメディアや業界誌などで執筆するのもお勧めです。良質のコンテンツは出し過ぎて悪いことはありません。

### ③求人系ＳＮＳの活用

海外のエージェントやリクルーターは、日英通訳者の人材確保を主にネット上の情報をもとに行います。ですから、**LinkedIn など、彼らがよく検索する求人系ＳＮＳにプロフィール情報や実績表をアップロードしておく**と、仕事のオファーが届くことがあります。

中には安くて質が悪い人材が集まるという評判が立っているＳＮＳもありますので、その点だけは注意しましょう。

## ④各種イベントへの参加や企画

**通訳業界イベントはもちろん、自分が狙いを定めている業界のイベントには積極的に参加しましょう。**たくさんの人に自分を知ってもらわないとブランドは機能しません。

私は一時期、企業のサイバーセキュリティ関係者や弁護士が集まるイベント（一般に開かれているもの）に数多く参加し、他の参加者と名刺交換を繰り返していました。このようなつながりから生まれた仕事もありますし、イベント自体が勉強になるので、一石二鳥といえます。

機会があれば、**通訳業界のイベントで講演するのも、よいＰＲ**です。業界内の知名度は一定の信頼につながるからです。もちろん、内容のある講演をすることが大前提ですが、自分の得意分野について話すのであれば難しくはないはずです。

**地方在住の方は、自分でイベントを企画してもよいかもしれません。**講演者の手配や集客など、やらなければならないことが多くてハードルは高いですが、情報は発信する人のもとに集まってくるのが常なので、挑戦の価値はあります。東京で開催される業界イベントのレポート記事を執筆するのもお勧めです。つながりはつながりを生むことを忘れずに。

**現在の通訳市場を見ると、狭い分野で一番になることを目的とするブランディングが効果的だと考えます。**ＩＲ、医薬など、どの分野でも第一人者としてポジションを確立している人はいるので、さらにその下の**サブカテゴリを狙っていくのも一つの手**です。たとえば、タイに進出している日系企業について市場環境も含めて熟知しているとか（つまり通訳に加えてコンサルもできる）、医学の中でも心臓疾患が得意とか、何か「これ」といったものがあれば最高です。私も、法律事務所に対しては、米国反トラスト法関連が特に強いとアピールしています。

繰り返しますが、通訳者がいくら素晴らしい技術を持っていても、通訳サービスを使う側に知られていなければ、そして覚えてもらわなければ意味がありません。そのために、自分をブランディングし、知ってもらう工夫をする必要があるのです。

# 4 大切なレートとスケジュールの話

## ▼フリーランスなら自分ですべきこと

**レートの交渉と、仕事をいつどこでやるというスケジュールの調整は、フリーランスなら自分でやらなければならない大切な仕事**です。

まずはレートについてのお話です。エージェントに登録するときに希望レートを聞かれることがありますが、きちんと情報収集をして相場を把握しておかないと、適切な交渉ができません。

エージェントの中には、クライアントから仕事を請け負う際のレートをウェブサイトに公開しているところがあります。

通訳者のレートは、終日案件の場合、公開されている価格の六五パーセント程度が目安となります。たとえばBクラス八万円、Aクラス十万円であれば、通訳者に支払っているのはそれぞれ五万二〇〇〇円、六万五〇〇〇円あたりです。

これを目安にすると、自分の適正なレートが見えるので交渉がスムーズにいきます。もちろん技術や実績により変動はありますし、戦略的に価格設定をすることも一つの手段ですが、高すぎると仕事が来ないし、逆に低すぎると仕事量に比して得る報酬が少なくなります。

なお、年度版の『通訳者・翻訳者になる本』（イカロス出版）には、エージェント約三〇社に対して実施したアンケート結果をもとに各クラスのレート相場を発表しているので、大いに参考になります。

## ▼適切な交渉のタイミングは？

レートの交渉を苦手にしている人は、現役で働いている通訳者の中にも多いのではないでしょうか。学校で交渉術は教わりませんし、「交渉＝争い事」と認識しているので、争いは避けようという本能が働いているのかもしれません。

しかし、フリーランスの世界では、交渉しなければ比較的低いレートを提示されがちで、その後のレートアップも望めません。エージェントが自ら進んで高いレートを提示したり、レートアップを持ちかけたりすることはほぼないからです。エージェント自らが通訳者にレートアップを提案してくる場合がたまにありますが、それは通訳者のレートがそもそも低すぎる可能性が高いのです。

では、「うまい交渉」とはどのようなものなのか、見てみましょう。最初に押さえておきたいのは「交渉のタイミング」です。

大手エージェントは、レート改定の時期が決まっています。その数カ月前には通訳者サイドから連絡して、交渉プロセスを開始するようにしましょう。**レート改定はだいたい春先が多いようなので、通訳業界の繁忙期が終わる一二月中旬から翌年の一月中旬あたりがいい時期です。**年末は、各エージェントが登録通訳者に実績表を更新するよう依頼する時期でもあるので、それと合わせて連絡するのがよいでしょう。

ただし、レートの改定は毎年行われるものではありません。**交渉する理想的なタイミングは、①対象となるエージェントで一定の実績を残して、②エージェントの担当者とも信頼関係が築けており、③毎回必ずあなたを指名するクライアントが何社かできた頃**、です。エージェントとしても、クライアントから必ず指名され、実績も申し分ない通訳者のお願いを無下にはできません。そうなれば交渉はうまくいくでしょうし、レート改定時期でなくても承認されるかもしれません。

## ▼交渉はパワーバランスで決まる

「交渉は、当事者のパワーバランスで結果の九割が決定する」、これが交渉の基本です。**相手の主張に対して「NO」と言えない立場にいるのであれば、交渉しない方が賢明**です。それを踏まえ、交渉する際には「交渉が不調に終わったらどのような影響があるのか」を考えてから臨みましょう。

たとえば、あるエージェントが自分の収入の四割を占めているのであれば、そのエージェントを失った場合の損失リスクが大きすぎるので、強い主張はできません。また、登録してまだ一年程度だと、パワーバランスは圧倒的にエージェントのほうに傾いており、通訳者としては交渉を有利に進めるカードがほとんどありません。

このような状況で交渉をする意味があるか、最悪の場合はどのようなリスクがあるかをあらかじめ想定しておくべきです。極端な話ですが、私が自分から交渉を持ちかけるのは、そのエージェントとの縁が切れても大きな悪影響はないと判断したときだけです。

それでも交渉するのであれば、そのエージェントでの実績だけでなく、他社での有力な実績も説得材料として用意しておきましょう。さらに、他社でのレートも共有すると効果的です。たとえば、エージェントAとBからは七万円もらっているのに、交渉相手のエージェントからは五万円しかもらっていないと、具体的な数字を挙げて交渉するのです。

主張としてはいささか強引ですが、それでもレートを上げてくれないのであれば、少なくともそのエージェントのあなたに対する評価がわかったということで、今後のビジネス戦略に反映していくべきでしょう。私自身、キャリア初期に登録していた比較的レートが低いエージェントとは、もう取引していません。

業界にはさまざまな事業戦略を持つエージェントがあるので、そのような会社の情報やレートの相場感などについて、通訳者は事前に調べておくべきです。その情報自体が交渉を進める上での鍵となるのですから。

通訳者に意外と知られていないのが、多くのエージェントは分野別のレート設定を認めていることです。通常の通訳だと五万円で、製薬関係だと八万円などと、分野によって設定を変えることが可能なのです。

エージェントとしては、製薬人材は貴重なので登録してもらいたいものの、すべての案件で八万円を支払うのは厳しい。通訳者がこのあたりの需給関係を理解していると、お互いが納得できるレート設定ができるでしょう。

## 交渉成立＝交渉成功ではない

エージェントがこちらの条件を受け入れてレートを上げたとしても、必ずしも交渉成功とは限りません。**レートを上げたとたん、オファーの数が激減することもある**からです。

レートを上げた結果として、質のよい案件のオファーだけが来るようになったのか、それとも単に価格的に使いにくい人材になったから案件が減ったのかは、オファーの内容を見ればわかります。時にはオファーが完全に途絶え、数年のあいだ音沙汰なしということもあります。

エージェントのコーディネーター、特に大手のコーディネーターは二〜三年で入れ替わります。その時にあなたが「中心選手」でない場合は、新しいコーディネーターに情報がうまく引き継がれずに、一時期忘れられてしまうことがあります。しかし、交渉後にオファーが消えた場合は、あなたが「出場選手枠から外された」と考えてもよいでしょう。

ただし、一社から干されたとしても、あまり悲観的にならないでください。都内であれば他に登録できるエージェントは山ほどあります。また、干されたエージェントから数年後の繁忙期に突然連絡がくることもあります。コーディネーターの入れ替えで忘れられることもあれば、思い出されることもあるのです。

## ▼キャリアステージ別のスケジュールの組み方

お金の次は「時間」です。スケジュールの話をしましょう。

フリーランスは自分で自分を管理しなければなりませんから、当然ながら**スケジューリングも自己責任**です。ただ単に仕事をたくさん詰め込むのではなく、**生産性を最大化でき**

**る上手なスケジュール調整**をしなければ、忙しいわりに収入は伸び悩む結果になります。

ここでは、キャリアステージ別のスケジュールの組み方をレクチャーします。

**【駆け出し】**

**デビューから三年間は、とにもかくにも実績の積み上げが最優先**です。体力が続く限りは、件数を優先して仕事をしましょう。エージェントもお手頃価格で使える人材が欲しいので、比較的低めのレートでオファーが来ますが、迷うことなく受けることをお勧めします。**多くの件数をこなす中で、自分と相性がいい分野がわかってきますし、他の通訳者とのつながりもできます。**

ただし、**登録するエージェントの数は大手一社を含む三～四社程度**に留めておくこと。なぜなら、初期の登録レートは後々までずっと影響するので、登録する会社が多いと実績の割にはレートが伸びません。

**【中堅】**

**プロになって五年から七年ほど経ち、国際会議での同通を任されるようになったら、もう立派な中堅通訳者**といっていいでしょう。ここからは、**レート交渉をしながら付き合うエージェントを絞り込む段階**です。

通訳者の体は一つですから、すべてのエージェントと同じように仕事をすることはできません。自分の得意分野の案件を多く持っている会社、または高いレート設定をしてくれる会社を少しずつ優先して受けていきましょう。

長く活動している通訳者には、必ずといっていいほど主戦場とする得意分野があります。分野を絞ると、知識と経験を集中的に蓄積できる上、事前準備を質的・量的に効率化できます。さらに他の通訳者との差別化が容易になるのでレートを上げやすくなりますし、慣れている分野なので現場で体力・気力が維持しやすくなるというメリットがあります。

**【ベテラン】**

経験年数が一五年〜二〇年程度のベテランになると、自分が好きな案件を比較的自由に選べるようになりますが、その一方で年齢的に体力の低下を感じるようになるかもしれません。その場合は、**コンディションを維持するために稼働日数を減らし、一つか二つの分野に特化するのが得策**でしょう。いくら知識と経験があっても、体力の低下には勝てませんから、働きやすい（＝負荷が少ない）環境を求めていくのです。

実際に国内で稼働しているベテランの中には、同通は三人体制が絶対条件、逐次は基本的にはやらない人が少なくありません。逐次は同通と比べて一回のターンが長めであることが多く、一人で四～五時間の対応を求められる案件もあるので、体力と集中力の低下がパフォーマンスの質に如実に現れるのです。

また、医療機器しかやらない、ＩＲしかやらないというふうに、分野を特化して仕事を受けるベテラン通訳者もいます。

ベテランともなれば、**大学で教えたり、翻訳にシフトしたりと、通訳実務とは別の有力な選択肢もある**でしょう。会議通訳の世界を離れて、海外から訪れる映画やテレビの撮影班付きの通訳者兼フィクサーとして第二の人生を始めた人もいます。

## ▼スケジューリングで価値を生む

スケジューリングを工夫して価値を創造することも可能です。

あるクライアントは、南米某国への出張案件を通訳者数人に打診しましたが、通訳者から、飛行機での移動はビジネスクラスを手配するよう求められたため、予算超過で依頼できませんでした。通訳者にしてみれば、乗り換え込みでほぼ丸一日（往復で二日間）を機内で過ごすわけですから、疲労を考えるとビジネスクラスの手配を求めるのは当然でしょう。

しかし、そのオファーを受けた私は、エコノミークラスで往復する代わりに、前泊三日分の宿泊費のお支払いを依頼しました。三日あれば長旅の疲労も回復できますし、ちょっとした観光もできます。ビジネスクラスの価格に比べればホテル三泊分の費用はかなりお得なので、クライアント側に大きなコスト負担はありません。発注担当者にはとても感謝されましたし、私は前泊できたおかげで南米で通訳者を集めて食事会を開催し、新たな人脈を構築できたので、お互いにとってＷＩＮ-ＷＩＮとなりました。

## お付き合い案件と成長案件

仕事は人と人との関係で成立しているので、条件が合わないからと断るよりも、関係が維持できる程度に仕事を受けて後につなげたほうが、戦略的に賢いケースがあります。後々大きなオファーにつながったり、ピンチの際に人を紹介してもらったりすることもあるので、**人間関係は大事にすべき**です。

お付き合いとは別に、**私が勝手に「成長案件」または「背伸び案件」と呼んでいるタイプの仕事もあります。**私に十分な準備時間があることが条件ですが、年に一回ほど、明らかに今の自分の知識レベルを超えている分野の仕事を受けて、猛勉強するのです。簡単ではないけれど決して無謀な挑戦ではなく、十分な準備をすれば当日までに自分を高められると判断してのことです。

なぜリスクをとってまでこのような挑戦をするのかというと、時には自分を追い込むような仕事をしないと、通訳者として成長できないと考えているからです。これは練習ではなく、実際の現場であることに意味があります。

将棋棋士の羽生善治は、新しい手を構想したときは、まずは実戦で試して評価するそうです。研究してから指すのではなく、斬るか斬られるかの実戦でないと意味がないと考えているそうで、私もこれには完全同意です。だから苦しくても背伸びを続けていますし、通常の案件でも新しい表現を試して、クライアントの反応を確認したりしています。

## ▼長期案件で効率性アップ

スケジュールを最適化したいのであれば、**一日単位の単発案件よりも、複数日にわたる長期案件を優先的に入れるべき**です（ここでは便宜上、一週間以上の案件を「長期案件」と定義します）。

月曜日から金曜日まで毎日異なる案件を入れると、その準備だけで一苦労ですが、一週

間を通して同一案件を担当すると知識が蓄積されますし、心の余裕もできるので訳の質が上がります。参加者や担当者との信頼関係も築きやすいし、案件終了後にパフォーマンスの評価も聞きやすい。プラスばかりなのです。

**中堅以上の通訳者は、特に繁忙期には早い段階であまり単発案件を入れず、じっと待つのも手**です。アテが外れて一週間丸々と空いてしまったとしても、繁忙期であれば直前の単発案件は必ずありますし、その時期にまとまった時間が空いている通訳者はなかなかいないので、好条件のオファーが舞い込んでくるかもしれません。

それに長期案件は規模が大きいので、会議参加者や関係者の数が多く、キャンセルになる確率が比較的低い。スケジューリングで困るのが、キャンセル料規定にギリギリ引っかからないタイミングで、案件が全部キャンセルになること。キャンセルは少ないにこしたことはありません。

## ▼難しい仮予約の扱い

先の予定を入れ過ぎるのはあまり賢い判断ではありません。

第三章で説明しましたが、大半の案件は仮予約からスタートします。日本では欧米と比較してエージェントの力が強いので、この仮予約に関しては、エージェントは一方的な通知で通訳者をリリースできるのに、通訳者は基本的にエージェントに対してリリースの「お願い」をするのが暗黙的了解になっています。

次のような例を考えてみてください。

エージェントAから一年後のＩＲカンファレンスを仮予約で受けましたが、半年後にエージェントBから好条件の確定オファーがきたので、エージェントAにリリースのお願いをしました。ところがエージェントAはリリースを許さず、「ひとまず確定しましたよ」

と通訳者に伝えてきました。

この場合、これも業界の慣習ですが、通訳者は先に仮予約していたエージェントAの案件を優先しなければならない暗黙の了解があります。しかし、エージェントは、後になってその通訳者が必要なくなれば、キャンセル料が発生する直前にキャンセルできるのです。

また、当初は五日間の約束だったのが、直前になって一方的に四日や三日半に変更されることもよくあります。もちろん、すべてのエージェントがこのようなことをしているわけではありませんが、このようなことが実際に起きている事実は把握しておくべきでしょう。

ずっと先の仮案件はよくても現状維持、状況により価値減（拘束日数が減れば収入も減る）、最悪のケースでは全損（案件キャンセル）になりかねないので、あまり早い段階でコミットせず、良質案件をじっと待つ我慢強さを持つのも大事です。

ちなみに、私は一部の信頼できるエージェント／クライアントを除き、基本的には三カ月以上先のオファーは受けていません。そして繁忙期は「仮予約でも構わないけれど、二〇日までに確定できない場合は自動リリースをお願いします」などとお願いする場合もあります。

## コミットメントの重み

一度引き受けた仕事を、直前になって「自分の能力を超えている」と言ってドタキャンする通訳者がいると聞きます。大半は駆け出しです。

**プロとして認められたいのであれば、そして選ばれる通訳者になりたいのであれば、一度コミットした仕事は必ず完遂してください。**

ただ、ここでいう「完遂」とは、必ず自分が対応しなければならないという意味ではありません。普通に生きていれば体調を崩したり、親族に不幸があったりします。**大事なのは仕事に穴を開けないこと。**どうしても自分が対応できない状況が生じたのであれば、信頼できる通訳者仲間に代打を依頼した上で、エージェント／クライアントに知らせるのがプロとしての責任です。**「この日は行けなくなったので、代役はそちらで探してください」と伝えるのは最悪の対応**と肝に銘じてください。

こうした不測の事態にも対応できるセーフティネット（通訳者仲間のネットワーク）を作っておくのも実力のうちです。

# 5 サービス業としての通訳

## ▼ちょっとした気遣いが仕事を成功へ導く

クライアントに選ばれ続ける通訳者は、確固たる通訳技術は当然として、**奉仕の気持ちを忘れないサービス提供者**としての自分をよく理解しています。要は、愛嬌やサービス精神にあふれているのです。

私がまだ沖縄で通訳をしていた頃、ある国際会議で人手が足りず、九州から二人の同時通訳者が派遣されてきました。会議前の打ち合わせが終わり、講演者が記念に担当通訳者を囲んで写真を撮りたいと言ってきたので、九州から来た通訳者Aさんに「写真をお願いできますか?」と聞きました。するとAさんの返事は、「お断りします。それは私の仕事

ではないので」。意外な答えに言葉を失ったことを覚えています。
確かに写真撮影は通訳者の仕事ではありません。しかし、撮影にかかる時間はたかが三〇秒ほど。それで講演者が気持ちよく話ができるなら、通訳者にとっても願ったり叶ったりのはずです。

ビジネス全体のことを考えていない通訳者は、どんなにうまくても雇いたくないと思われますし、エージェント／クライアントの看板を背負っているプロとしても大いに問題があります。**現場でのほんのちょっとした心遣いが仕事を成功へと導く**のです。

では、優れた通訳者は、現場でどんなサービスをしているのでしょうか。具体例を紹介しましょう。

ＩＲを専門にしている通訳者の丹埜段（たんのだん）さんは、外国人クライアントとの電車移動用に交通系ＩＣカードを複数所有しているそうです。私も実際に外国人クライアントにＩＣカードを渡してみたところ、「用意してくれてありがとう！」と感謝されました。切符を購入する時間も省けるので、とても便利です。

私も、子どもや孫へのお土産探しを手伝ったり、壊れたメガネをランチ時間に修理に出したり、レストランを予約したりといった小さな奉仕を日常的に行っています。夜に会食が予定されている場合は少し先に入店してメニューを確認し、その日の料理の説明をするのも一つの喜ばれる工夫です。

特に、直接取引のクライアントには一歩踏み込んだサービス、つまりgo the extra mileをすることで、よりよい関係を築くことができるのです。

## ▼現場対応力も実力のうち

会議の円滑な進行に通訳は必要不可欠ですが、だからといって通訳者は会議の主役ではありません。この点を勘違いして、クライアントを困らせる通訳者がいるのは残念なことです。

たとえば機材準備や配付物の整理、講演者の対応などでてんてこ舞いの担当者に、しつこく「資料をください」、「通訳者用のテーブルの位置を変えてください」、「講演者との打ち合わせをセッティングしてください」などと訴える通訳者がいます。常識の範囲内でテーブルを動かすとか、講演者をつかまえて質問するなど、支障のない範囲で自ら動けば、わざわざ忙しくしている担当者の手を煩わせることはありません。

また、事前に十分に資料が揃わないと、現場であからさまに不機嫌になったり、クライアントやエージェントに批判的な態度をとったりする通訳者もいます。

最高のパフォーマンスをするためには事前にすべての資料を提供して欲しいのはやまやまですが、一度受けた仕事ならば**与えられた環境でベストを尽くして形にするのがプロ**です。資料を出さないクライアントが嫌なら、現場で不機嫌にならず、そのクライアントとは二度と仕事をしなければよいのです。

ひとたび現場入りしたら、いかなる問題が発生しても、機転を利かせて、自ら積極的に動いて問題解決をする。そんな通訳者の姿をクライアントはちゃんと見ています。現場対応力も実力のうちだと心得ましょう。

## ▼現場での柔軟な顧客対応

先読みして自ら動ける通訳者は、高確率でリピート指名がきます。関係者の負担を減らし、会議全体の質を上げているのですから当然です。

たとえば、事前に資料が届いていないなら、プリントアウトを現場で担当者にお願いするより、ネットで講演者のプロフィールを検索し、会場内でその人をつかまえて、講演スライドを直接メールするように依頼した方が早いケースもあります。自分の話を通訳する人間を無下に扱う講演者はいません。会って話せば喋り方の特徴がわかりますし、講演者との信頼関係も築けます。

ちなみに、日本以外の市場では、資料提供はデータ形式が主流で、遅かれ早かれ国内市場も同じようになるはずです。いつまでも紙に頼らず、ノートＰＣやタブレットで資料を扱うことに慣れておくのがよいでしょう。

私自身、最近は自宅のデスクトップで資料を読み、ファイルをスマホに保存して現場に持ち込むケースが増えています。

## ▼「仕事ポートフォリオ」の多様化

日本には「エージェントとしか仕事をしない」と決めている通訳者が一定数いますが、仕事を一つのポートフォリオとして考えると、これは高リスクです。

投資活動などと同じように、**リスクは分散するのが基本中の基本**。理想的には①エージェント経由の仕事と直接取引の仕事とのバランスを取りながら、②エージェント自体も複数登録してリスクを分散する、というのが賢いアプローチだと考えます。特に直接取引は、たとえ案件数が少なくても利益率は確実に高くなるので、うまくスケジュールに組み込めば大幅な収入増が見込めます。

直接取引の主な利点は、既に説明した通り、①クライアントと直接関係を築けること、②エージェント経由の案件より高めの価格を設定できることです。クライアントとよい関係が構築できていて、交渉も上手な通訳者であれば、エージェントが受け取るような金額を個人で稼ぐことも不可能ではありません。

**安定的かつ高効率な仕事ポートフォリオを組むには、直接取引ができるクライアントを少なくとも数社持つことが必須**です。この仕事を続けていると、必ずどこかでクライアントと直接取引をする機会が訪れます。

といっても、エージェントから頂いた案件のクライアントを盗むわけではありません。それは倫理違反ですし、そのような行為をする通訳者はすぐに業界で噂が広まります。むしろもっと自然に、**知り合いに頼まれた案件からスタートして、口コミで存在が広まる**という感じでしょうか。

たとえば私は沖縄の那覇地方裁判所で通訳をしていたところ、たまたま傍聴していた新聞記者に認められていろいろとクライアントを紹介してもらい、その後は何年も沖縄を訪れる外国メディアの通訳をしました。

ある案件では、私の通訳をチェックする仕事を担当した通訳者さんに一週間みっちり絞られましたが、後日その通訳者さんに大型の法務案件を紹介してもらったこともありました。「何だ、実力を認めているんだったらあんなにイジメなくてもいいのに！」と思うところはありましたが（笑）、その方にはとても感謝しています。

まあとにかく、出会いは必ずあるので、一つひとつを大切に。

## 海外市場に進出する

エージェントは何も国内だけとは限りません。多くの日本企業が海外進出しているように、個人の通訳者も海外のエージェントやクライアントと取引する機会は数多くあります。

日英の言語ペアに限れば、欧米市場は現地で人材を確保できますが、アジア地域のエージェントの多くは日英通訳者のネットワークが乏しいため、日本で人材を確保して各国・地域に出張させるパターンが普通です。

**海外エージェントは日英通訳者に希少価値を認めて、国内エージェントより高めのレート設定をしているところも少なくありません。**国内エージェントより通訳者の実績評価に関して柔軟で、難易度が高めの案件でも通訳者を信じて送り出してくれる傾向があります（他に適当な人材が見つからないだけかもしれませんが）。

デメリットもあります。国内エージェントのような手厚い手配はまず望めません。資料は事前に全部揃うほうが珍しい。また、紙ではなくファイル形式で提供されるのが普通で、講演者との直前の打ち合わせは求めてもほぼ実現しません。

現場への移動手段の確保は通訳者に任されるケースが多く、現場入りしてからもいろいろと調整事項があります。たとえば、同通ブースが舞台裏に設置されて檀上がまったく確認できないので、急遽ブース内にモニターを用意してもらったこともありました。日本では考えられないようなサプライズが発生しがちで、柔軟な対応が求められます。

また、海外エージェントの案件では、終日同通案件に通訳者を三人手配するケースはほぼなく、二人体制が標準です。終日逐次案件の場合も、一人で対応するのが普通です。

「海外の会社は不払いのリスクがあるから怖い、取引したくない」という通訳者もいるようですが、私は二〇年のキャリアの中で踏み倒されたことは一度もありません（事前にネットで調査して、リスクがありそうな会社には料金の前払いを求めます）。だから今後もないとは言い切れませんが、一つの案件が別の案件や業界関係者とのつながりを生むのはよくあることなので、仕事の幅を広げたい通訳者にはお勧めです。

# 先輩通訳者からのメッセージ 3

## 橋本佳奈さん

中国語（北京語ならびに台湾語）通訳者。台湾生まれ。日本の高校・大学を卒業後、一般商社に就職。結婚によっていったんキャリアを放棄し二児の子育てに専念していたが、ある日突然通訳になると決心。子育てをしながら独自で通訳技術を身に付ける。現在は、政府間協議、IT、金融など、あらゆる分野の通訳をこなす。記者会見、セレモニーのバイリンガルMCとしても活躍中。

橋本佳奈さんは中国語（北京語ならびに台湾語）のベテラン会議通訳者です。通訳学校に通わずに独学で技術を身に付け、今では数多くの台湾企業や政治家に指名されるまでになりました。

橋本さんがこの道に入ったのはちょっとした偶然から。その後、仕事と子育てを両立させながら、キャリアを積んできました。常にクライアントとの信頼関係を大切にする彼女のブレない姿勢は、多くの通訳者が参考にするべきでしょう。

## ✦きっかけは「自分を取り戻したいから」

私は台湾出身で、日本の商社で貿易実務を担当していました。その後結婚して、家庭に入り出産。子どもが幼稚園に入る頃から、このままずっと家にいてもつまらないなと感じ始め、社会復帰しようと思ったのです。それで最初、近所のリサイクルショップでアルバイトを始めたんですね。そしたらセクハラに遭ってしまい、本当にありえないほどの屈辱感を感じました。

その日即座にその店を辞めました。じゃあ次に何をしようかと考えたときに「そういえば私、中国語が話せるんだっけ」と思い出したんですよ。中国語を活かすなら通訳という仕事があったなと思い、書店で本を買って、どんな仕事があるのか調べてみました。

そして、台湾貿易センター東京事務所（日本のJETRO＝日本貿易振興機構のような組織）を見つけ、直接電話をしたんです。「今は通訳者はいりません」と言われたのですが、話しているうちに「幕張メッセや有明ビッグサイトでの展示会に出展する台湾企業で通訳が必要な場合があるので、そういう仕事はいかがですか？」と聞かれました。これが通訳になったきっかけです。

台湾貿易センター東京事務所に通訳者として登録して、まず担当したのが食品展示会でした。四日間ひたすら立ちっぱなしで、ずっとチラシを配っていました。来る日も来る日もチラシ配りばかりで、通訳する場面はほんのわずか。「これは通訳じゃない」と思って、また調べていたら、業界誌で法廷通訳が特集されているのを発見しました。

法廷通訳なら毎日行かなくていいし、公判は三〇分から一時間で終わることもあるので、子育てと両立できるかなと思い、裁判所に登録しに行きました。正式登録から半年以上待って、少しずつ案件が入るようになりました。我流でしたが、本格的な通訳経験はここからですね。

通訳学校に行きたかったけれど、お金も時間もなかったので諦めました。何もないところから始めたので苦しい場面もありましたが、それでも通訳の仕事を続けたのは、自分を取り戻したかったからです。自分に自信が欲しかった。当時は自分のアイデンティティと真面目に向き合う時間、つまり私は何者なのか、何をしたいのかを考える時間が長かったような気がします。

## ✦クイズショーが転機に

ある時、裁判所で一緒に仕事をしていた先輩が、放送局の仕事を紹介してくれました。時給が当時の私にとっては高かったので、すぐに登録しました（笑）。このあたりから少しずつ仕事の幅が広がってきて、小心者の私も個性を出すようになりましたね。

たとえば、展示会場では、台湾企業のブースに人を集めるために即興でクイズ大会を開催して、「当選者には商品を一つプレゼント！」なんていう、イベントの司会者みたいなことをしたり。それを主催側が見て、通訳だけでなく臨機応変な対応ができる人だと思ってくれて、セミナーの司会進行や通訳をやってみないかと依頼を受けるようになりました。

セミナーの通訳の仕事では、ブリーフィングもない中、資料を読んでしっかり準備して全力投球で臨んだところ、今度はセミナーでスピーチを行っていた台北経済文化代表処（台湾の在外代表部）の方が「あなたが通訳だと安心します」と評価してくださいました。お世辞だったかもしれませんが、とても嬉しかったですね。

当時はクライアントの言い値で仕事をしていたのですが、交渉しないと本当に損することが多いと感じるようになりました。私は子どもがいたので、ファミリーサポートの方に一時間数千円で預けて、ご飯も食べさせてもらわなくてはならないこともあり、コストを考えると割に合わない案件もあったのです。交渉することは大事だと思うようになりました。

幸運なことに、仕事上のスランプはほぼなかったのですが、仕事が途切れることはありました。懇意にしていたクライアントのトップが変わって、通訳の予算を大幅削減したりとか。これぱかりはどうしようもありません。

それに私自身、今は月に一〇件以上は仕事を入れないようにしています。中国語はあらゆる分野の仕事があるのですが、それだけ準備に時間がかかるので、一〇件以上は入れない代わりに単価を上げるようにしています。通訳という仕事は、目、耳、頭をフルに使い、集中力と体力が必要ですので、たとえ一時間の仕事でも、一日に二つ以上の仕事は受けません。

## ✦クライアントの信頼を得ること

私は子育てをしながら仕事をしてきましたが、子どもの反抗期は大変でした。泣かれたり、わざと仕事の邪魔をされたりしましたが、それでもトイレに閉じこもって資料を読んだこともありました。今振り返ると、時間も気持ちの余裕もなかったですね。私はシングルマザーなので、生きていくために仕事を優先にしてきました。それはそれでよかったと思います。

とはいっても、私一人の力ですべてできたわけではありません。一番感謝しなくてはならないのはご近所さんかもしれません。あとから知った話ですが、私が夜まで仕事で家に帰れない日に、子どもが一人でお隣さんを訪ねて、「お米の炊き方が分からないので教えてください」とお願いしたことがあったそうです。

限られた時間で洗濯やお弁当作りを頑張りましたが、仕事の準備に関しては集中して臨むべく、子どもに対しても「今はこっちに来ないで！」とビシッと一線を保っていました。子どもも成長し、私の仕事に対する姿勢を理解してくれていると思います。

私がここまで来られた理由は、やはりお客様との信頼関係をしっかり作れたから、これに尽きます。

通訳はサービス業であることを心がける必要があると思います。私はいつも言葉の媒介者であることを強く意識しているのですが、時にはただ言葉だけではなく、それ以上の何かを媒介できたと感じる瞬間があります。政治家や企業の重役の間で、深いコミュニケーションが取れたことで友情が芽生えた瞬間を何度も見てきました。それはとても大事なことだと思うのです。

サービス業であること、言葉の媒介者であること、お客様の信頼を得るのが何よりも大切であること。私が通訳をする限り、この三点を忘れることはないでしょう。

# 第５章
# 激変する環境をサバイブする

# 1 通訳者の生き残り戦術

## ▼フリーランスの荒波を泳ぎ切るには

フリーランスというのは、大げさにいえば「明日をも知れない身の上」です。何ものにも拘束されず、自分の好きなようにできる自由があると同時に、一瞬ですべてを失ってしまう可能性もあります。その中で生き残っていくためには何をすべきか、自分の経験をもとにいくつか挙げてみようと思います。

まずは「実績表の更新」です。現在の私には安定した仕事ポートフォリオがあり、キャパを超えて仕事を受ける必要はないので頻繁に更新する必要がなくなりましたが、**駆け出しから中堅に入る段階では、半年ごとに実績表を更新していました。**

国内エージェント向けに日本語と、海外エージェント向けに英語の標準実績表を用意して、それとは別に分野を絞ったバージョンも用意していました（政治経済の案件を中心に抽出するなど）。提出先のニーズに一番合ったポートフォリオを出せるように常に用意しておいたのです。実績表をエクセルファイルで用意することで、フィルター抽出を容易にする工夫をしている通訳者もいます。

ちなみに私は若い頃、クライアントに求められない限りは自分の写真を提供しませんでした。考え過ぎかもしれませんが、若いという事実が事前に知られてしまうと、それだけで舐められて信用を失うと恐れていたのです。

## 情報収集のためにテクノロジーを活用する

業界イベントや同業者の集まりには、情報収集とネットワーキングを兼ねて積極的に参加すべきですが、それとは別に**情報を効率的に集めるしくみを持っておくと便利**です。

これは別に難しいことではありません。私の場合は、日本経済新聞などのニュースアプリでキーワードを指定しておいて、関連ニュースが届くようにしています。また、最近はＡＳＥＡＮや統合型リゾート、ｅスポーツの案件が増えてきているので、ツイッターで関連アカウントを集めてリスト化しています。

また、ネットの情報だけでなく、米国から反トラスト法関連の専門誌を取り寄せたりもしています。出版物を購入・購読しても読み切れないで悩んでいる人もいるかもしれませんが、気にしないでください。私も読み切れていない本や論文、コンテンツは山ほどあります。まだ聞いていないオーディオブックはスマホに一二〇時間超あります（笑）。

**大事なのは、読みたいときに手元にあるかどうか。**すべて消費しようとせず（どうせできない）、自分のペースで進めてよいのではないでしょうか。

ＲＳＳリーダーで情報を集めていた時期もありましたが、テクノロジーは日々進化していくもの。数年後にはもっと便利なサービスが登場しているかもしれません。**大事なのは新しいテクノロジーを受け入れ、学び、自分の仕事を支援する活用法を見つけること**です。これはＡＩ（人工知能）にも当てはまるでしょう。

テクノロジーは人間の仕事を奪うと恐れる人もいます。もちろんその可能性もあるでしょうが、仕事を失うリスクが一番高いのは、テクノロジーを頑なに受け入れない人なのではないでしょうか。私はむしろ**テクノロジーを受け入れ、どう自分の味方につけるかを考える方が前進的であり、仕事の質も上がると考えています。**

## 継続学習のススメ

現場デビューしたら、つらかった通訳訓練とはおさらば……ではありません。実は**最初の数年が通訳者として一番成長する時期です。**

通訳学校でどんなに厳しい授業を受けたとしても、しょせんは学校という安全地帯での話。実際の現場では、クライアントは「商品としての訳」をシビアに評価します。最初は思うようにいかない部分があるかもしれませんが、さらなる成長につなげるため、現場で感じたことをノートに書き留め、学習を継続してください。

私はデビューしてから四年ほど、現場に出るたびに業務日誌をつけていました。あくまでも自分のためであり、他人に見せるわけではないので、必ずしも読みやすい丁寧な文章ではありません。ただ、一つのミスから最大限に学ぶため、①気付いている限りで誤訳した言葉や表現と代替訳の検討、②専門用語や業界用語、③通訳パフォーマンス以外の点で気になったこと、などを主に記録していました。

逐次の際には、現場でメモ取り用のノートの隣に紙を一枚用意。後で読み返して反省するために、自分が戸惑った表現を書き残していました。

現場での細かなミスを記憶として定着させる効果があるので、自分用の業務日誌はかなりお勧めです。

デビュー後も一緒に刺激し合い、学び合える仲間がいれば理想的ですが、現実的にはなかなかそうもいかないので、**自己完結する学習・訓練を習慣化**しましょう。

一般的なのはネットで視聴できる動画を初見で訳し、ＩＣレコーダーやスマホで録音して、後で比較する方法です。初見ですからかなり粗い訳になりがちですが、自分の思考パターンやミスしがちな文章の形を知る上ではとても有益な訓練です。それに現場に出始めると、資料がない案件もたびたびあるので、通訳者として柔軟な思考力を鍛える効果もあるでしょう。フィードバックしてもらえる先輩通訳者がいれば、さらに効果的です。

中堅以上の通訳者は、すでに土台となる通訳力は身に付いているはずなので、基礎的な通訳訓練よりはさまざまな分野に関する知識を広く浅く獲得することで、さらなる成長が実現できます。

通訳に必要な思考の瞬発力や、文脈から発言の先読みをする能力、いわば点と点を即座に線でつなげる能力は十分に発達したと思うので、次はできるだけ点を増やしていくことに集中すべきです。

政治・経済の会議なのにスポーツや聖書が話し合われたり、医学の学会でギリシャ神話や農業のトピックが議論されたり。そのような場に立ち会うのが、通訳という仕事です。

数多くの「点」を獲得すればそこに「線」が生まれ、後に「面」になるので、守備範囲が広がります。

それと同時に、中堅以上の通訳者は体力の温存・回復を心がけるようにしましょう。

## ▼シーズンオフには専門知識の獲得を

秋の繁忙期が終わる十二月中旬から、通訳業界は年末年始モードに突入します。駆け出しから中堅の人は、この閑散期を使って集中的に学習することをお勧めします。

私はといえば、過去にはまとまった時間を活用してEU競争法や米国証券取引法などを勉強していました。テキストを何冊か買って、ひたすら読むというシンプルな勉強法ですが……。

長く選ばれ続ける通訳者は、驚くほど知識に貪欲です。経験年数三〇年以上のベテランでも、この時期にはオンラインコースで金融や心理学を勉強している人もいます。プロアスリートがオフシーズンに肉体改造やフォーム改善をするように、通訳者も空いている時間を次のステップアップに使うべきなのです。

## 通訳者のネットワークを構築する

ここまで何度も繰り返してきましたが、通訳力だけでは仕事は続きません。長期にわたり安定的かつ生産的な仕事を続けていくためには、良質な情報と専門家が集う場所に身を置くのが一番の近道ですが、そのもっとも手軽な方法は**業界団体に所属する**ことです。多様な人間や情報が集まる良質なコミュニティは、計りしれない価値を有します。

二〇一五年、私は有志とともに日本会議通訳者協会（ＪＡＣＩ）を設立しました。通訳者の情報交換や技術研鑽のプラットフォームとして始めたのですが、今では各種ワークショップをはじめ、新人向けの「同時通訳グランプリ」や、業界最大のイベントである「日本通訳フォーラム」を毎年開催しています。通訳に興味がある方であれば誰でも入会可能です。

通訳に特化した団体ではＪＡＣＩが国内最大ですが、他にも日本翻訳者協会（ＪＡＴ）は通訳分科会を運営していますし、日本翻訳連盟（ＪＴＦ）もたびたび通訳関連のイベントを開催しています。北海道や新潟など、都道府県によっては地域にフォーカスした活動をしているコミュニティもあります。地方在住の方はぜひ探してみてください。

## ▼インハウスとフリーランス、それぞれへのアドバイス

つながりという点で、インハウス、フリーランス、それぞれの方へのアドバイスを記しておきたいと思います。

フリーランスが派遣先でインハウスと一緒に仕事をする場合、インハウスから謙虚に学ぶ姿勢で臨みましょう。インハウスはその業界に関して豊富な知識と情報を持っていますし、彼らと仲良くやることで組織内での評価も高まり、新たなつながりが生まれます。会

社Aの調達担当者が会社Bに転職した際、前にお願いしたフリーランスに再度依頼するのはよくあることです。

インハウスの方は、自社に派遣されたフリーランスの力量が自分の基準を満たしていなくても、批判的な態度ではなく優しく接して教えてあげましょう。社内事情を知っているインハウスが質的に上なのは当然で、フリーランスがいくら資料を読み込んでも知識量の絶対差は埋められません。

この業界は狭いので、フリーランスに意地悪や冷淡な態度をとっていると、いざ自分がフリーに転向しようと決めたとき、誰もエージェントに推薦してくれません。現場で理不尽な扱いを受けた通訳者は、そのことを決して忘れませんよ……。

# 2 コモディティ化する通訳の現在

## ▼イノベーションがレートを押し下げる

お隣の翻訳業界の方々よりはまだペースは緩やかですが、通訳業界も全体的にはレートの下降傾向が認められます。

参考までに、次ページに「通訳会社に聞いたランク別レートの推移」を掲載します。これによると、確かな技術を持ついわゆるAクラスの通訳者は、一〇年前とほぼ変わらないレートを維持していますが、それ以外のクラスはこの一〇年で最大約二万円／日も下落しています。

■通訳会社に聞いた「1日当たりのレート」の推移（左：下限の平均～右：上限の平均）

| | Aランク<br>10年以上のフリーランスとしての経験があり、会議通訳者として業界で認知されている | Bランク<br>10年程度のフリーランスとしての経験があり、概ねどんな分野でも同時通訳と逐次通訳ができる | Cランク<br>5年以上のフリーランスとしての経験があり、概ねどんな分野でも逐次通訳が可能で、分野によっては同時通訳も可能 | Dランク<br>2～3年のフリーランスとしての経験があり、概ねどんな分野でも逐次通訳が可能 | Eランク<br>社内通訳として2～3年の経験があり、概ね逐次通訳が可能 |
|---|---|---|---|---|---|
| 2007年 | 65,782円～80,083円 | 60,374円～77,285円 | 45,200円～63,750円 | 32,857円～47,647円 | 25,421円～36,785円 |
| 2008年 | 57,592円～79,629円 | 55,291円～70,833円 | 40,038円～55,961円 | 28,333円～40,000円 | 23,375円～32,833円 |
| 2009年 | 68,333円～78,357円 | 59,888円～71,071円 | 47,222円～59,500円 | 30,561円～40,769円 | 23,866円～31,000円 |
| 2010年 | 63,437円～73,333円 | 56,176円～69,230円 | 45,937円～57,307円 | 31,666円～45,714円 | 28,800円～35,454円 |
| 2011年 | 62,105円～79,412円 | 53,684円～70,588円 | 41,111円～56,000円 | 29,267円～41,000円 | 17,709円～28,164円 |
| 2012年 | 67,896円～76,000円 | 56,158円～67,148円 | 44,105円～57,667円 | 30,789円～42,667円 | 23,117円～36,250円 |
| 2013年 | 61,666円～77,307円 | 53,235円～65,800円 | 39,666円～54,166円 | 30,272円～44,166円 | 21,300円～30,800円 |
| 2014年 | 60,000円～80,444円 | 52,523円～69,210円 | 38,238円～52,666円 | 26,227円～38,263円 | 23,444円～31,466円 |
| 2015年 | 62,187円～83,437円 | 57,222円～71,647円 | 39,117円～54,000円 | 27,312円～35,384円 | 21,833円～30,714円 |
| 2016年 | 66,000円～86,333円 | 54,062円～71,538円 | 37,647円～52,308円 | 25,466円～38,454円 | 21,538円～30,999円 |
| 2017年 | 55,000円～78,000円 | 44,000円～67,500円 | 31,666円～57,222円 | 26,000円～42,000円 | 24,375円～37,500円 |
| 2018年 | 54,285円～80,625円 | 42,812円～58,947円 | 32,812円～49,444円 | 23,666円～35,588円 | 24,000円～31,333円 |

※データは『通訳者・翻訳者になる本』編集部（イカロス社）より提供。各年11月に、通訳会社を対象に実施したアンケート結果より。回答数約25社。

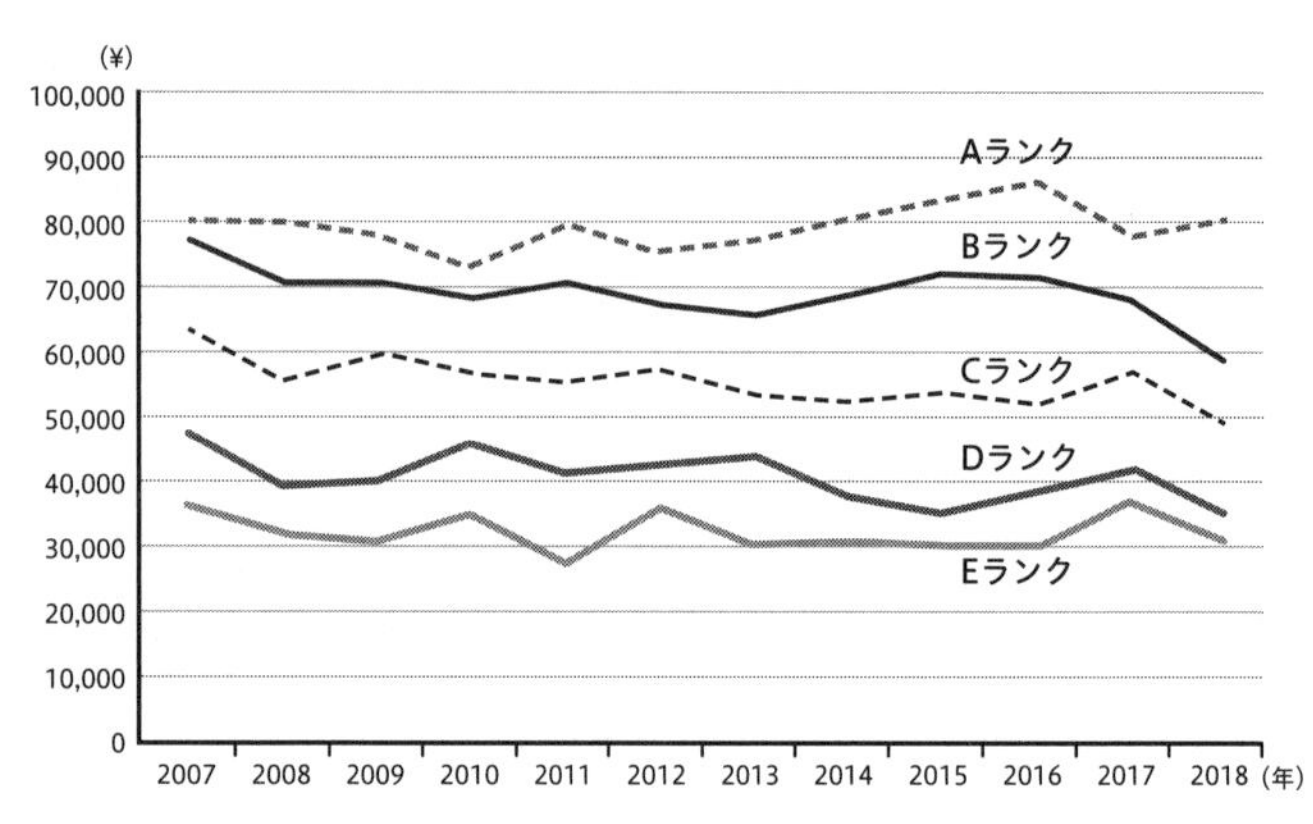

315ページのデータをグラフ化したもの

レートの下落に拍車をかけているのがイノベーション（技術革新）です。

時間単位、分単位の通訳サービス調達を可能にしたオンラインマッチング、遠隔稼働によりグローバルな通訳者手配を容易にした遠隔同時通訳（ＲＳＩ）など、新しく導入されつつあるサービスは、通訳者のレートを確実に押し下げています（導入フェーズでは高めのレートが維持されるケースもありますが、普及後に下がるのは歴史を見ても明らかです）。

また、近年は政府機関や民間企業のコスト意識が高く、通訳コストに関しても同様に敏感です。特に政府関係の入札案件は非常に厳しい状況が続いているとエージェント関係者から耳にしています。「地方への出張は新幹線のグリーン車」「海外出張は飛行機のファーストクラス」などというバブリーな時代は、今や過去の遺物です。

今後、業界では緩やかに、しかし確実に、大部分の通訳者のコモディティ化（差別化の要因が失われ、市場価値が低下した状態）が進むはずです。通訳の市場規模も、「人間通訳者」の市場に限れば、今後の大幅な成長はあまり見込めません。

## ＡＩの時代を生き抜く

長らくＡＩは小説や映画の中での存在で、「実現したら面白いかもね」程度のものでした。私も例外ではありません。

その私の、ＡＩに対する印象が決定的に変わったのが、グーグル傘下のディープマインド社が開発した「アルファ碁（AlphaGo）」です。二〇一八年三月、アルファ碁が世界トップレベルのプロ棋士・李世乭（イセドル）九段と対戦し、人間圧勝の下馬評を覆して四勝一敗で勝利しました。

アルファ碁は、これまで悪手（ミス）とされた着手を大胆に打ち回し、その上で勝つことで、人間が数百年かけて積み上げてきた囲碁の常識を覆し、人工知能が持つ高いポテンシャルをまざまざと見せつけました。

私は人工知能の専門家ではありませんし、科学者でもありません。しかしこのアルファ碁の勝利を見て、近い将来、これまで人間通訳者が行ってきた仕事の大部分をＡＩが代わりに担うようになるだろうと確信しました。

といっても淘汰されるのは技術的に未熟で差別化も不十分な通訳者が中心であり、感情がこもった、人間のぬくもりが伝わる通訳で差別化できている通訳者はいつの時代でも必要とされます。

もしかしたら一部の通訳者は、人材としての自分の価値を見直し、方向を転換する必要に迫られるかもしれない。このそう遠くない未来に訪れるであろう現実に、今からしっかりと向き合う必要があるのではないでしょうか。

## 自分で考えて行動する通訳者に

**不透明な時代に求められるのは、自分で考えて行動する能力**です。それが市場における価値向上につながります。

たとえば、近年の傾向の一つに動画の普及があります。今や通訳付きイベントの動画がYouTubeなどの動画配信サイトに公開されるのが当たり前になってきました。そんな中で一部のエージェント／クライアントは、通訳者の力量を事前に把握するため、通訳パフォーマンスの動画を求めるようになっています。今後は、パフォーマンス動画を実績表のように分野別に複数提示するのが常識になる可能性があります。

実は私はここ数年、戦略的に動画公開が前提のイベント案件を増やしています。クリエイターやデザイナーがポートフォリオを持つように、通訳者も今後は精度が高くバラエティに富んだ動画ポートフォリオが求められるのではないかと考えています。

さらに現在、私は同通よりも逐次の技術向上に力を入れています。理由は、**逐次は同通よりも表現に感情を込めやすいので、訳者の「人間らしさ」を強くアピールできる**からです。訳出速度ではＡＩに太刀打ちできませんが、訳の人間らしさをもっと磨けば、聞いていて心地よい、味わいがある通訳者として価値を認められると考えています。

ユニークな価値とストーリーがある本物を求める層は、いつの世でも必ず存在するのです。

## ▼隣接分野への展開も視野に

通訳が好きな人間にとって、通訳の仕事だけで生活していければ、それはとても幸せなことです。しかし業界をとりまく環境が変化する中、一部の通訳者は収入を安定させるために、他の業種で稼ぐことを強いられるかもしれません。その場合、隣接分野への展開は有力な選択肢になります。

わかりやすいのが「教える仕事」です。通訳は体力を相当使う仕事なので、知識や感覚としてやるべきことがわかっていても、加齢とともに体や頭がついてこないという時期が必ず来ます。ピークを過ぎたアスリートが以前のようにプレーできなくなるのと同じです。

身体的衰えを総合力でカバーしているベテランもいますが、**現場を離れて、プロとして必要な知識や感覚を次の世代に伝えるのも立派な仕事**です。通訳学校で教えるのもよいですし、ネット上で有料セミナーやサロンを主催するのも一つの方法です。教えるのは通訳に限らず、英会話やスピーチスキルも考えられるでしょう。

また、翻訳も隣接分野の一つです。通訳と似ているようで異なる技術が必要なので、直ちに素晴らしいプロレベルの翻訳ができるわけではありませんが、少なくともポテンシャルはあるはずです。翻訳学校で学んだり、翻訳業界内でネットワーキングをしたり、自分の努力次第で新たな道に進むことは可能でしょう。

**安定的に商品として成立する翻訳ができる通訳者は意外に少ないので、翻訳もできる通訳者の人材価値は高い**です。特にインハウスは翻訳業務も任されるケースが多いので、フリーランスからインハウスへのシフトを検討する方は翻訳を学び直しておいて損はありません。

企業イベントから結婚式まで、バイリンガルの司会業も一定の需要があります。複数言語に対応できて臨機応変、トーク力があり、大勢の人を前にしても動じないことが求められますが、これは一部の通訳者にはピッタリの仕事ではないでしょうか。

さて、かくいう私ですが、今は通訳業の傍ら大学で教え、金融メディア向けに記事を執筆したり、翻訳を行ったりしています。これらの仕事ができるのも、通訳業務から得た知識や人脈があったからこそです。通訳者が持つ能力は意外と応用できるものなのです。

## 3 この業界で長続きするために

### ▼休養の重要性を認識しよう

私はスポーツ観戦が好きなのですが、若い頃にどう考えても合点がいかないと思うことがありました。それは、メジャーリーグにせよ、プロバスケットのＮＢＡにせよ、高額の年俸契約をしておきながら、「休養」という理由で試合を欠場する選手の存在です。ケガもないのに欠場だなんて、高いチケット代を払って観戦しているファンをバカにしているのではないか、と思ったからです。

通訳を仕事にした今では、この理由を理解できます。通訳は肉体労働なので、特に繁忙期など数週間休みなしで現場に出ていると体力回復が追いつきませんし、精神的にもダメージがかなり蓄積します。仕事を長いスパンで考えたとき、繁忙期であっても心と体を適度に休める積極的努力をしないとパフォーマンスの質は落ちますし、訳の創造性も枯渇するでしょう。

今の私は、**通訳という仕事を一年の短距離勝負ではなく、三年から五年程度の長いマラソン勝負として考えてスケジュールを組んでいます。**三年後にはこの分野を開拓したい、毎月の稼働日数をこれだけにしたい、と考えて少しずつシフトしています。

精神的・身体的な疲労の回復の重要性について、多くの通訳者はきちんと考えていないのではないでしょうか。みんな休みたいとは思っているけれど、特に決まった休養日を設定せず、仕事のオファーがあると流れで受けてしまう。確かに、フリーランスは仕事の切れ目が縁の切れ目、働けるうちにがっつり働こうという論理は私にも理解できます。

そのような通訳者にぜひ見てもらいたいのが、アメリカの著名デザイナーであるステファン・サグマイスターによる、「長期充電休暇のちから」というＴＥＤ動画です

(https://www.ted.com/talks/stefan_sagmeister_the_power_of_time_off)。引退後にたっぷり休むのではなく、まだ現役のときから長めの休みを定期的に設定して、想像力の枯渇を防止しようという主旨の動画です。

さすがにサグマイスターのように、一年休んでもすぐに復帰できるブランドを持つ通訳者はそうそういないでしょうが（私にもそんなブランドはありません！）、案件数が比較的減る八月や一二月に長めに休暇をとってリセットするのは、結果的に通訳者として長生きすることにつながるでしょう。

環境変化に適応しようとしても、体がついていかなければ意味がありませんよ！

## ▼撤退する勇気を持とう

フリーランスには定年がありません。そのため、クライアントの期待に応えるパフォーマンスを発揮する能力がなくなっても仕事を続ける人がいます。エージェントからのオファーが減ったり、同業者からの紹介案件も減ったりしても、通訳という仕事への愛着なのか、単に生活がかかっているのか、現場に出続けるのです。

人間は食べなければ生きていけませんし、依頼がある限りそれに応えようとする気持ちはわかります。しかし高いプロ意識があり、一定の技術水準を自分に課しているのであれば、なぜ勇気ある撤退を選べないのでしょうか。もう引き際なのに、それを認めずに現場にしがみつくのは、自分のためにも、業界のためにもなりません。


これは自分自身への戒めでもあります。私は通訳の仕事が好きですし、今後もできる限りは続けていこうと思います。しかし、辞めどきを逸したベテランや、自分の技術を過信してクライアントに迷惑をかける通訳者を何人もこの目で見てきたからこそ、自分はそうありたくないと強く感じています。

引き際は潔く、余力を残して辞めたい。間違っても、一部の力が落ちた通訳者がしているように、本来であれば若手がやるような仕事にまで手を出して、若手のチャンスを奪いたくはない。

本書の執筆中、私は仲が良かった通訳者のAさんと疎遠になりました。Aさんは通訳という仕事が大好きなのですが、残念ながら数年前と比較して能力がかなり衰えていました。それを一緒になった現場で見た私は、かつて約束した通りAさんに率直に伝えました。「だいぶ力が衰えている、自分を見つめ直したら？」と。しかし、それが決定的な溝を生んでしまったようです。

Aさんとの関係が失われてしまったのは残念ですが、率直な意見を言い合える仲間を持つのは大事だと改めて考えるきっかけになりました。中堅以上になると、自分に直接意見してくれる人はとても少なくなります。私は自分の能力が衰えて、それに自分で気が付いていないとき、きちんと厳しい意見を言ってくれるような仲間と一緒に仕事がしたい。引き際は自分で決めたいけれど、能力の衰えを敏感に察するのは隣に座っているパートナーだったりするのですから。

読者の皆さんも、そんな頼りになる仲間に恵まれることを願っています。

# 参考図書、通訳情報サイト、業界団体について

## 参考図書

通訳を始めた頃の私は学校に通う経済的余裕がなかったため、主に市販の書籍を読んで勉強に励みました。通訳技術には実践を繰り返さなければ感覚がつかめないものもありますが、基本的な心構えや現場での振る舞い、意識するべき思考パターンなど、読書から学べる知識は少なくありません。

ここでは「通訳技術に関する本」と「通訳一般に関する読みもの」に分けて紹介します。初学者はまず後者から手に取ってみてください。

**【通訳技術に関する本】**

**『通訳の技術』（小松達也著、研究社）**

著者の小松達也は日本の通訳業界において草分け的存在。初めて通訳技術について日本語で学ぼうとする人にお勧めします。本書で概要をつかんだあと、個別のトピックを深掘りして学習するのが良いかもしれません。日本語・英語で通訳をしている人であればほぼ確実に持っているであろう一冊です。

**『会議通訳』（ローデリック・ジョーンズ著　ウィンター良子・松縄順子訳、松柏社）**

私がもっとも影響を受けた一冊で、話者に対して「誠実」（必ずしも「正確」ではない）な通訳という視点が一貫しています。「再構成」と「サラミ・テクニック」の部分だけでも十分な価値あり。できれば著者の息遣いが感じられる原著（英語）を読んでほしい。

**『よくわかる逐次通訳』（ベルジュロ伊東宏美・鶴田知佳子・内藤稔著、東京外国大学出版会）**

逐次通訳の理論と実践を詳しく解説しています。第5章（逐次通訳のノートテイキング）と第7章（より高度な逐次通訳技術の習得）がお勧め。特に「文末の予測」では、プロが無意識に考えていることを言語化しています。

## 【通訳一般に関する読みもの】

**『歴史をかえた誤訳』（鳥飼玖美子著、新潮文庫）**

主に政治の現場で発生した誤訳を取り上げて、当時の背景を説明しながら訳の検討をしています。確かに「黙殺」や「善処します」は今日でも正しくニュアンスを伝えるのが難しいですね。正しく誠実な訳とは何かと考えさせてくれます。

**『不実な美女か貞淑な醜女（ブス）か』（米原万里著、新潮文庫）**

ロシア語通訳者でエッセイストの故・米原万里の処女エッセイ。通訳という仕事を社会一般に広めた作品と言って過言ではないでしょう。読み物としての完成度が高く、翻訳・通訳をキャリアとして考えている人はもちろん、そうでない人も楽しめます。

**『同時通訳者のここだけの話』（関根マイク著、アルク）**

自著を推すのも気恥ずかしいのですが、日英通訳者のリアルな日常や思考を知りたければ本書はお勧めできます。読みやすいように軽いタッチで書くことを意識したので、他の通訳本よりはあまり疲れずに（笑）読めると思います。

**『通訳とはなにか』（近藤正臣、生活書院）**

通訳を異文化コミュニケーションという切り口から解説した本。第2章の「会議直前にどんな準備をするのか」や「実際のブースの中では」は、私が字数の都合で本書に書けなかった詳細にも踏み込んでいます。通訳者の報酬に関しても具体的な数字があり面白い。

## 通訳情報サイト

二〇年前、ネット上に通訳に関する情報はほとんど存在しませんでしたが、今では少しずつ増えています。数十万円の学費を支払って通訳学校に通う前に、力試しに参加できる単発の通訳セミナーやワークショップも頻繁に開催されるようになったので、ネットで情報を集めて有効活用してください。

**通訳翻訳WEB　https://tsuhon.jp/**

季刊誌『通訳・翻訳ジャーナル』とムック本『通訳者・翻訳者になる本』を出版しているイカロス出版株式会社の業界情報サイト。連載コラムに加えて、スクールや業界団体が開催している通訳関係のセミナーやイベントのリストが便利です。

**通訳・翻訳ブック　https://thbook.simul.co.jp/**

株式会社サイマル・インターナショナルが運営するウェブマガジン。世界各地の通訳事情や同時通訳術、声の使い方などに関するコンテンツがあります。

**ハイキャリア　通訳の仕事　https://www.hicareer.jp/inter**

株式会社テンナイン・コミュニケーションが運営。エッセイやインタビュー系のコンテンツが多いのですが、その中でも吉岡余真人の「通訳者のための現場で役立つ同時通訳機材講座」はすべての同時通訳者が読むべき連載だと思います。

## 通訳団体

業界の「今」についてもっと知りたいのであれば、実務者が集まるコミュニティに所属するのが一番の近道です。全国をカバーしているのは日本会議通訳者協会のみですが、地方で活動している通訳団体などもあります（新潟県通訳翻訳協会や北海道通訳者協会など)。ネットワーキングに励み、共に技術を磨いてください。

**一般社団法人　日本会議通訳者協会　https://www.japan-interpreters.org/**

現役の通訳者が運営している日本最大の実務通訳者団体。会員限定の記事や動画コンテンツが豊富で、イベントも毎年開催の「日本通訳フォーラム」をはじめ、国内各地で開催しています。新人通訳者向けに国内唯一の「同時通訳グランプリ」も運営。

**特定非営利活動法人　日本翻訳者協会　https://jat.org/ja/**

**一般社団法人　日本翻訳連盟　https://www.jtf.jp/**

**一般社団法人　日本手話通訳士協会　http://www.jasli.jp/**

日本会議通訳者協会と比べると活動頻度が低いのですが、日本翻訳者協会は通訳分科会がありますし、日本翻訳連盟も通訳イベントをたびたび開催しています。加えて、本書では音声通訳(声に出す通訳)を取り扱いましたが、手話通訳に関心がある方は日本手話通訳士協会に問い合わせてみてください。

# おわりに

本書を執筆中、特に最後の「撤退する勇気を持とう」を書き始めた時期、私は数年ぶりのスランプに苦しんでいました。

クライアントから苦情がでるほど酷いパフォーマンスをしたわけではありませんが、いつものように表現が頭にすぐ浮かばなかったり、文脈から話の先読みがうまくできなかったりした現場が何度かありました。

どんな仕事にもスランプはありますが、それが長く続くと仕事が減っていきますし、そもそも長続きするスランプはもはやスランプではありません。「技術の劣化」という厳しい現実です。今回は幸い、準備の仕方と休養の取り方を見直すことで復調しましたが、私の通訳者としての寿命はあと何年あるのだろうかと改めて考えるようになりました。

今後も私は会議通訳者として力ある限り活動を続けていきますが、同時に次の世代に知識を継承するステージにも踏み込んでいくつもりです。私に通訳を直接教えてくれた先生や師匠はいませんが、先輩通訳者が執筆した数多くの書籍・論文に私は間違いなく学び、影響を受けました。

本書はある意味、私なりの業界への恩返しです。今後は通訳の仕事そのものが劇的に変化するかもしれないので、一〇年後には本書の内容が色褪せてくる部分もあるかもしれませんが、クライアントに求められ続ける通訳者のエッセンスは変わらないと確信しています。

本書の究極的な目的は、通訳を「結び目をつくる仕事」として読者に意識してもらうことだと「はじめに」で書きました。実はこの結び目は、通訳者とクライアントをつなぐ結び目であると同時に、通訳者と通訳者をつなぐ結び目でもあります。読者のみなさんには本書で、そして現場で学んだ知識を、同世代の仲間や次の世代に伝えてほしい。同じミスを何度もする必要はないですし、結び目を一つひとつ増やし、強化していくことで、通訳業界の明るい未来が切り拓かれるのですから。

さて、謝辞を忘れてはいけません。

遅筆な私をあの手この手で鼓舞し、最後まで粘り強く導いてくれたアルクの編集担当、美野貴美さん。私の乱雑な思考を整理し、読みやすくまとめてくれた編集者の古里学さん。通訳者の吉田理加さん、白倉淳一さん、石井悠太さん、中村いづみさん、平山敦子さん、橋本佳奈さん。そして実務者視点で内容を精査し、貴重なアドバイスをしてくれた崔正熙さん、蛇川真紀さん、米田恵さん、藤野裕子さん、中井智恵美さん、佐々木勇介さん、諸橋佳子さん、フランソワーズ・モローさん。誰ひとり欠けても本書は成立しませんでした。

みんな、ありがとう！

関根マイク

**関根マイク**（せきね・まいく）

会議通訳者・翻訳者。関根アンドアソシエーツ代表、日本会議通訳者協会（JACI）理事、日本翻訳者協会（JAT）元副理事長、全米司法通訳人・翻訳人協会（NAJIT）会員。ブリティッシュコロンビア大学文学部卒業。大学卒業後に帰国し、沖縄サミットを契機にフリーランス通訳者・翻訳者としてのキャリアを始める。得意分野は政治経済、法律、ビジネスとスポーツ全般。月刊『ENGLISH JOURNAL』（アルク）で「通訳の現場から～ブースの中の懲りない面々～」を連載中。著書に『同時通訳者のここだけの話ープロ通訳者のノート術公開ー』（アルク）がある。

Twitter：@mikesekine
ブログ：http://blogger.mikesekine.com/

# 通訳というおしごと

発行日　2020年2月21日（初版）
著者　関根マイク
編集　株式会社アルク　出版編集部
編集協力・校正　崔正熙、古里学

装丁・本文デザイン　早坂美香（SHURIKEN Graphic）
イラスト　タラジロウ
DTP　新井田晃彦（有限会社共同制作社）、嗚島亮介
印刷・製本　萩原印刷株式会社

発行者　田中伸明
発行所　株式会社アルク
〒102-0073 東京都千代田区九段北4-2-6　市ヶ谷ビル
Website：https://www.alc.co.jp/

PC：7019082
ISBN：978-4-7574-3397-7

地球人ネットワークを創る

アルクのシンボル
「地球人マーク」です。